Os atributos
de Deus II

A. W. Tozer

Os atributos de Deus II

—
Uma viagem ao
coração do Pai
—

Vida

Editora Vida
Rua Conde de Sarzedas, 246 — Liberdade
CEP 01512-070 — São Paulo, SP
Tel.: 0 xx 11 2618 7000
atendimento@editoravida.com.br
www.editoravida.com.br
@editora_vida /editoravida

Editor responsável: Gisele Romão da Cruz
Editor-assistente: Amanda Santos
Tradução: Maria Emília de Oliveira
Revisão de tradução: Josemar de Souza Pinto
Revisão de provas: Lettera Editorial
Diagramação e capa: Arte Vida

OS ATRIBUTOS DE DEUS II
©2001, The Moody Bible Institute of Chicago
Originalmente publicado nos EUA
com o título *The Attributes of God*, vol. 2
Copyright da edição brasileira ©2022, Editora Vida
Edição publicada com permissão contratual da]
Moody Publishers (Chicago, IL, EUA)

Todos os direitos desta edição em língua
portuguesa são reservados e protegidos por
Editora Vida pela Lei 9.610, de 19/02/1998.

É proibida a reprodução desta obra por quaisquer
meios (físicos, eletrônicos ou digitais), salvo
em breves citações, com indicação da fonte.

■

Exceto em caso de indicação em contrário,
todas as citações bíblicas foram extraídas da
Nova Versão Internacional (NVI)
© 1993, 2000, 2011 by International Bible Society,
edição publicada por Editora Vida.
Todos os direitos reservados.

Todas as citações bíblicas e de terceiros foram
adaptadas segundo o Acordo Ortográfico
da Língua Portuguesa, assinado em 1990,
em vigor desde janeiro de 2009.

■

As opiniões expressas nesta obra refletem
o ponto de vista de seus autores e não são
necessariamente equivalentes às da Editora
Vida ou de sua equipe editorial.

Os nomes das pessoas citadas na obra
foram alterados nos casos em que poderia
surgir alguma situação embaraçosa.

Todos os grifos são do autor, exceto os indicados.

1. edição: fev. 2022
1ª reimp.: nov. 2023

Dados Internacionais de Catalogação na Publicação (CIP)
(Câmara Brasileira do Livro, SP, Brasil)

Tozer, A. W. (Aiden Wilson), 1897-1963
   Os atributos de Deus : uma viagem ao coração do pai : Volume 2 / A. W. Tozer (Aiden Wilson); tradução Maria Emília de Oliveira. -- 1. ed. -- São Paulo : Editora Vida, 2022.

Título original: *The Attributes of God*, vol. 2
ISBN 978-65-5584-261-6
e-ISBN 978-65-5584-262-3

   1. Devoção a Deus 2. Deus (Cristianismo) - Atributos 3. Doutrina cristã 4. Fé (Cristianismo) 5. Teologia cristã I. Título.

21-93739   CDD-231.4

Índice para catálogo sistemático:
1. Atributos de Deus : Doutrina cristã   231.4
Aline Graziele Benitez - Bibliotecária - CRB-1/3129

Sumário

Introdução: o caráter de Deus 7

1. A autoexistência de Deus 21
2. A transcendência de Deus 39
3. A eternidade de Deus 59
4. A onipotência de Deus 77
5. A imutabilidade de Deus 95
6. A onisciência de Deus 111
7. A sabedoria de Deus 129
8. A soberania de Deus 149
9. A fidelidade de Deus 169
10. O amor de Deus 187

INTRODUÇÃO

O caráter de Deus

Os que conhecem o teu nome confiam em ti [...]. (Salmos 9.10)

Nas mensagens a seguir, analisaremos o que está por trás de todas as coisas. Não poderia haver tema mais central ou mais importante. Se você investigar o efeito da causa, investigar o efeito dessa causa e, depois, o efeito da causa anterior a ela, e assim por diante, percorrendo os longos e sombrios corredores do passado até chegar ao átomo primordial do qual todas as coisas foram feitas, encontrará aquele que as fez — encontrará Deus.

Por trás de tudo o que já existiu — de toda a matéria, toda a vida, toda a lei, todo o espaço e todo o tempo —, há Deus. Deus dá à vida humana seu único significado; não há nenhum outro além dele. Se você tirar o conceito de Deus da mente humana, não haverá nenhum outro motivo para estar entre os vivos. Somos, como Tennyson disse, "ovelhas ou cabras que alimentam uma vida cega dentro do cérebro".[1] E podemos também morrer como ovelhas se não tivermos Deus em nossos pensamentos.

Deus é a fonte de toda lei, moralidade e bondade, aquele em quem você deve acreditar antes de negá-lo, aquele que é a Palavra e aquele que nos capacita a falar. Estou certo de que

---

[1] TENNYSON, Alfred Lord, **Morte d'Arthur**.

você verá imediatamente que, ao tentar produzir uma série de mensagens sobre os atributos de Deus, deparamos com o que é mais difícil de tudo.

O famoso pregador Sam Jones (que foi um Billy Sunday antes da época de Billy Sunday) disse que, quando o pregador comum escolhe um texto, ele se lembra de um inseto tentando carregar um fardo de algodão. E, quando escolho meu texto e tento falar de Deus, sinto-me como aquele inseto; só Deus pode me ajudar.

John Milton começou a escrever um livro sobre a queda do homem e sua restauração mediante Jesus Cristo, nosso Senhor, cujo título viria a ser *Paraíso perdido*. Mas, antes de ousar escrevê-lo, ele fez uma oração que gosto de repetir. Orou ao Espírito e disse:

> E principalmente tu, ó Espírito,
> Que aos templos mais magníficos preferes
> Morar em um coração reto e puro,
> Instrui-me.[2]

Eu gostaria de dizer, sem nenhuma tentativa de humildade mórbida, que, se não tiver coração puro e mente submissa, nenhum homem pode pregar dignamente a respeito de Deus e nenhum homem pode ouvir a pregação dignamente. Nenhum homem pode ouvir essas coisas sem que Deus o toque e o ilumine. E assim disse Milton:

> Instrui-me, porque nada se te encobre; [...]
> O que em mim é escuro, ilumina

---

[2] *First Book.*

O que é baixo, eleva e ampara
Para que no ápice deste grande Argumento
Eu possa afirmar a Eterna Providência
E justificar os caminhos de Deus aos homens.[3]

Quem pode falar dos atributos de Deus — de sua autoexistência, sua onisciência, sua onipotência, sua transcendência, e assim por diante — quem pode fazer isso e fazê-lo dignamente? Quem é capaz de alguma coisa semelhante? Eu não sou. Então, tenho somente esta esperança: da mesma forma que o jumentinho repreendeu a loucura do profeta e o galo cantou à noite para despertar o discípulo e conduzi-lo ao arrependimento, Deus pode também me conduzir e me usar. Da mesma forma que Jesus entrou em Jerusalém montado no jumentinho, oro para que ele queira cavalgar adiante do povo, montado em um instrumento tão indigno quanto eu.

É absolutamente necessário conhecer esse Deus, esse Deus sobre o qual João escreveu, esse Deus sobre o qual o poeta fala, esse Deus sobre o qual a teologia fala e esse Deus por quem somos enviados a pregar e a ensinar. É absolutamente, completamente e fundamentalmente necessário conhecer esse Deus, pois você sabe que o homem caiu quando perdeu seu conceito correto de Deus.

Enquanto o homem confiou plenamente em Deus, tudo estava bem; os seres humanos eram sadios e santos (ou pelo menos inocentes), puros e bons. Mas então o Diabo veio e lançou um ponto de interrogação na mente da mulher: "E ela [a serpente] perguntou à mulher: 'Foi isto mesmo que Deus

---

[3] Ibid.

disse [...]?'" (Gênesis 3.1). Foi o equivalente a esconder-se atrás de Deus e lançar dúvida sobre a bondade de Deus. E então a degeneração progressiva começou.

Quando o conhecimento a respeito de Deus começou a sair da mente dos homens, entramos na situação na qual nos encontramos:

> Porque, tendo conhecido a Deus, não o glorificaram como Deus, nem lhe renderam graças, mas os seus pensamentos tornaram-se fúteis e o coração insensato deles obscureceu-se. Dizendo-se sábios, tornaram-se loucos e trocaram a glória do Deus imortal por imagens feitas segundo a semelhança do homem mortal, bem como de pássaros, quadrúpedes e répteis. Por isso Deus os entregou à impureza sexual, segundo os desejos pecaminosos do seu coração, para a degradação do seu corpo entre si. Trocaram a verdade de Deus pela mentira, e adoraram e serviram a coisas e seres criados, em lugar do Criador, que é bendito para sempre. Amém. Por causa disso Deus os entregou a paixões vergonhosas. Até suas mulheres trocaram suas relações sexuais naturais por outras, contrárias à natureza. Da mesma forma, os homens também abandonaram as relações naturais com as mulheres e se inflamaram de paixão uns pelos outros. Começaram a cometer atos indecentes, homens com homens, e receberam em si mesmos o castigo merecido pela sua perversão. Além do mais, visto que desprezaram o conhecimento de Deus, ele os entregou a uma disposição mental reprovável, para praticarem o que não deviam (Romanos 1.21-28).

O capítulo 1 de Romanos termina com uma terrível acusação de injustiça, fornicação, maldade, ganância, malícia e toda a longa lista negra de crimes e pecados dos quais o homem é culpado.

Tudo isso aconteceu porque o homem perdeu a confiança em Deus. Ele não conhecia o caráter de Deus. Não sabia que tipo de Deus ele era. Confundiu-se inteiramente a respeito do que Deus era. Agora o único caminho de volta é ter uma confiança restaurada em Deus. E o único caminho para ter uma confiança restaurada em Deus é ter um conhecimento restaurado de Deus.

Comecei com o texto: "Os que conhecem o teu nome confiam em ti [...]" (Salmos 9.10). A palavra "nome" significa caráter mais reputação. "E os que sabem *que tipo de Deus tu és* confiarão em ti." Queremos saber por que não temos fé. Esta é a resposta: fé é confiar no caráter de Deus, e, se não sabemos que tipo de Deus ele é, não podemos ter fé.

Lemos livros sobre George Mueller e outros e tentamos ter fé. Mas esquecemos que fé é confiar no caráter de Deus. E, pelo fato de não sabermos que tipo de Deus ele é, ou como ele é, não podemos ter fé. E então lutamos, aguardamos e esperamos contra toda esperança. Mas a fé não vem, porque não conhecemos o caráter de Deus. "Os que sabem quem tu és confiarão em ti." É automático — surge naturalmente quando sabemos que tipo de Deus ele é.

Vou apresentar-lhe um relato a respeito do caráter de Deus para dizer a você como é Deus. E, se você ouvir com a mente atenta, vai ver que a fé surgirá. A ignorância e a descrença arrastam a fé para baixo, mas um conhecimento restaurado de Deus eleva a fé.

Penso que em nenhuma época da história do mundo precisamos tanto ter um conhecimento restaurado de Deus como hoje. Os cristãos que creem na Bíblia obtiveram grandes vantagens nos últimos quarenta anos mais ou menos.

Nunca tivemos tantas Bíblias como hoje — a Bíblia é um *best-seller*. Nunca houve tantas escolas bíblicas como hoje na história do mundo. Milhões de toneladas de literatura evangélica são publicados o tempo todo. Há tantas missões agora que não sabemos o que fazer com elas. E o evangelismo está avançando muito, muito mesmo, no momento atual. E hoje há mais pessoas que frequentam igreja, acredite ou não, do que antes.

Ora, há uma vantagem nisso tudo, não há dúvida nenhuma. Mas, como você sabe, no fim do ano o homem pode saber como sua empresa se encontra financeiramente por meio do balanço anual. E, apesar de ter alguns lucros, se houver muitas perdas, ele ficará fora do mercado no ano seguinte.

Muitas igrejas evangélicas obtiveram ganhos nos últimos anos, mas sofremos também uma perda grande e importante: nosso elevado conceito de Deus. À semelhança de uma águia, o cristianismo voa sobre os picos das montanhas de todas as religiões do mundo, principalmente por causa de seu elevado conceito de Deus, que nos foi concedido em revelação divina na vinda do Filho de Deus que assumiu a forma humana e habitou entre nós. O cristianismo, a grande igreja, tem vivido ao longo dos séculos com base no caráter de Deus. Prega a respeito de Deus, ora a Deus, declara Deus, honra a Deus, eleva Deus, testemunha Deus — o Deus trino.

No entanto, nos últimos anos tem havido perdas. Sofremos a perda daquele elevado conceito de Deus, e o conceito de Deus demonstrado hoje pela média das igrejas evangélicas é baixo demais, a ponto de ser indigno de Deus e uma desgraça para a igreja. É por negligência, por erro degenerado e por cegueira espiritual que alguns estão chamando Deus de "parceiro" ou "o homem lá de cima". Uma faculdade cristã publicou um livrete intitulado *Cristo é o meu quarterback*[4] — ele sempre anuncia a jogada certa. E alguém atribuiu esta frase a um empresário: "Deus é um cara legal e gosto dele".

Não existe nenhum muçulmano vivo no mundo que se rebaixaria ao nível de chamar Deus de "cara legal". Não há um judeu, ao menos nenhum judeu que acredite em sua religião, que se atreveria a referir-se dessa maneira ao grande Iavé, aquele com o nome incomunicável. Eles falam de Deus com respeito e reverência. Mas nas igrejas evangélicas Deus é um "*quarterback*" e um "cara legal".

Sinto, às vezes, que estou percorrendo um caminho que se passa por cristianismo. Os cristãos falam da oração como "uma reunião com Deus para decidir a próxima jogada", como se Deus fosse o técnico, o *quarterback* ou algo parecido. Eles formam uma roda, Deus dá o sinal e eles vão em frente. Que abominação grotesca! Quando sacrificavam uma porca no altar em Jerusalém, os romanos não cometiam nada mais assustador do que quando degradamos o Deus santo, santo, santo e o transformamos em um Papai Noel barato que podemos usar para conseguir o que queremos.

O cristianismo perdeu sua dignidade. E só a recuperaremos quando conhecermos o Deus santo dignificado, que cavalga nas asas do vento e faz das nuvens a sua carruagem. Perdemos o conceito da majestade e a arte da adoração. Recebi uma carta de meu bom amigo Stacy Woods, que até recentemente era diretor da InterVarsity. Ele disse nas linhas

---

[4] Armador de jogadas de ataque no futebol americano. [N. do T.]

finais da carta: "A igreja está se afastando da adoração. Acho que é porque estamos nos afastando de Deus". Penso que ele está certo e acredito que essa seja a resposta.

Assim, nossa religião perdeu seu caráter de interioridade, pois o cristianismo, se for verdadeiro, é uma religião que brota do interior. Jesus disse que devemos adorar em espírito e em verdade. No entanto, perdemos isso porque perdemos o conceito de divindade que o torna possível. Embora continuemos apegados à nossa Bíblia Scofield, crendo ainda nas sete doutrinas principais da fé fundamental, perdemos a reverência, a admiração, o temor e o deleite. Por quê? Porque perdemos Deus, ou pelo menos perdemos nosso conceito sublime e elevado de Deus — o único conceito de Deus que ele honra.

Dessa forma, os ganhos que conquistamos foram todos externos: Bíblias e escolas bíblicas; livros, revistas e mensagens radiofônicas; missões e evangelismo; números e novas igrejas. E as perdas que sofremos foram todas interiores: perda da dignidade, da adoração, da majestade, da interioridade, da presença de Deus, do temor e do deleite espiritual.

Se perdemos apenas o que é interior e ganhamos apenas o que é exterior, eu gostaria de saber o que ganhamos, se é que ganhamos alguma coisa. Gostaria de saber se não estamos em situação pior agora. Creio que sim. Creio que nossas igrejas evangélicas e nosso cristianismo são franzinos e anêmicos, sem conteúdo sério, frívolos no caráter e mundanos no espírito.

Creio que necessitamos desesperadamente de uma reforma que nos traga a igreja de volta.

Deixei de usar a palavra "avivamento" porque necessitamos mais do que um avivamento. Quando o grande avivamento chegou ao pequeno País de Gales por volta da virada do século[5], o Espírito Santo teve um trabalho a realizar. O povo acreditava em Deus, e seu conceito a respeito de Deus era elevado. Mas, por ter perdido seu conceito elevado a respeito de Deus, a igreja não sabe mais como é Deus, portanto sua religião é franzina e anêmica, frívola, mundana e barata.

Compare a pregação da igreja de hoje com a pregação dos profetas hebreus, ou até com a pregação de homens como Charles Finney — arrisque-se a fazer isso. Como eram sérios aqueles homens de Deus! Eram homens do céu que vieram à terra para falar aos homens. Como Moisés desceu do monte com o rosto resplandecendo para falar aos homens, assim ocorreu com os profetas e pregadores no decorrer dos anos. Eles eram homens sérios, circunspectos, de caráter elevado e cheios de pensamentos e teologia sólidos.

Hoje, porém, a pregação em geral é barata, frívola, grosseira, superficial e divertida. Nós, das igrejas evangélicas, pensamos que temos de divertir as pessoas, caso contrário elas não voltarão. Perdemos a seriedade de nossas pregações e tornamo-nos tolos. Perdemos a solenidade e tornamo-nos valentes, perdemos a dignidade e tornamo-nos grosseiros e superficiais. Perdemos a substância e tornamo-nos animadores de programas. É trágico e terrível.

Compare a literatura cristã e você verá que estamos praticamente na mesma situação. Todos os alemães, escoceses, irlandeses, galeses, ingleses, americanos e canadenses têm em comum uma herança protestante. E o que liam aqueles

---

[5] Do século XIX para o século XX. [N. do T.]

protestantes, os antepassados seus e meus? Liam *A ascensão e o progresso da religião na alma*, de Doddridge. Liam *Viver e morrer e santidade*, de Taylor. Liam *O peregrino* e *A guerra santa*, de Bunyan. Liam *Paraíso perdido*, de Milton. Liam os sermões de John Flavel.

Envergonho-me hoje de pensar no alimento religioso entregue às crianças. Houve um tempo em que elas se sentavam diante de uma lareira crepitante e ouviam o avô sisudo, porém bondoso, ler *O peregrino*, e os jovens canadenses e americanos cresciam sabendo tudo a respeito do Sr. Hipocrisia e de todas as outras personagens. E hoje lemos material de péssima qualidade que deveria ser removido com uma pá e eliminado.

Penso então nas músicas de hoje que são cantadas em muitos lugares. Ah, a lista dos queridos cantores! Lá está Watts, que compôs "Ó Deus, nossa ajuda no passado", e Zinzendorf, que escreveu muitos hinos maravilhosos. E havia Wesley, que também compôs muitos hinos. Havia Newton, havia Cooper, que compôs "Há uma fonte repleta de sangue", e Montgomery e os dois Bernardos — Bernardo de Cluny e Bernardo de Claraval. Havia Paul Gerhardt e Tersteegen, havia Lutero e Kelly, Addison e Toplady, Sêneca e Doddridge, Tate e Brady e o saltério escocês. E havia um grupo de outros que foram tão famosos quanto essas grandes estrelas e, juntos, formaram a Via Láctea circundando o céu protestante.

Possuo um antigo hinário metodista publicado há 111 anos e nele encontrei 49 hinos sobre os atributos de Deus. Ouvi dizer que não devemos cantar hinos que contêm tanta teologia porque a mente das pessoas de hoje é diferente. Pensamos de modo diferente hoje. Você sabia que aqueles hinos metodistas eram cantados por pessoas incultas? Entre eles havia fazendeiros, pastores de ovelhas, boiadeiros, mineradores, ferreiros, carpinteiros e colhedores de algodão — pessoas simples de todo este continente. Elas cantavam esses hinos. Há mais de 1.100 hinos naquele meu hinário, e nenhum de qualidade inferior em todo o hinário.

Hoje não quero nem falar de algumas daquelas músicas horríveis que cantamos com a melodia de "O tempo vai esquentar esta noite na velha cidade", que tem esta letra:

> *Um, dois, três, o Diabo corre atrás de mim,*
> *Quatro, cinco, seis, ele sempre me atira pedras,*
> *Sete, oito, nove, e erra todas as vezes, sim.*
> *Aleluia. Amém.*

Os amados santos de Deus cantam isso agora! Nossos pais cantavam "Ó Deus, nossa ajuda no passado", e nós cantamos essas coisas inúteis.

O trágico e assustador declínio na condição espiritual das igrejas chegou porque esquecemos quem é Deus.

Perdemos a noção da Majestade nas alturas. Li o livro de Ezequiel nas últimas semanas, devagar e relendo, e encontrei aquela passagem espantosa, assustadora e tremenda na qual a *shekinah*, a presença resplandecente de Deus, levanta-se entre as asas dos querubins, vai até o altar, levanta-se do altar e move-se até a entrada do templo ao som das asas dos querubins (cf. 10.4,5). E a presença de Deus afasta-se da entrada do templo e vai para o pátio do templo (cf. 18,19) e do pátio até o monte (cf. 11.23) e do monte para a glória.

Ela nunca mais voltou, exceto na encarnação de Jesus Cristo, quando ele andou entre nós. Mas a glória da *shekinah*, que acompanhara Israel durante muitos anos, aquele brilho sobre o acampamento, desapareceu. Deus não suportou mais; retirou sua presença majestosa, sua glória *shekinah*, e saiu do templo. E eu me pergunto quantas igrejas evangélicas entristeceram o Espírito Santo com seus modos frívolos, superficiais, grosseiros e mundanos, a ponto de ele ter se afastado em silêncio doloroso. Precisamos voltar a contemplar Deus; precisamos voltar a sentir Deus; precisamos voltar a conhecer Deus; precisamos voltar a ouvir Deus. Nada menos que isso nos salvará.

Espero que você seja uma pessoa de oração e que seja alguém digno de ouvir isso, e que eu seja digno de falar de Deus — o Deus trino, o Pai, Filho e Espírito Santo — e de como ele é. Se pudermos restabelecer o conhecimento de Deus aos homens, poderemos ajudar, de algum modo, uma reforma que restitua Deus aos homens. Quero encerrar com estas palavras de Frederick Faber:

> Cheio de glória, cheio de maravilhas,
> Majestade divina!
> Em meio aos teus trovões eternos,
> Como brilham teus relâmpagos!
> Oceano ilimitado! Quem te pode medir?
> Tua eternidade está ao redor de ti,
> Majestade divina![6]

Uma hora na presença da majestade de Deus teria muito mais valor para você agora e na eternidade que todos os pregadores — inclusive eu — que se levantaram para abrir a Bíblia.

---

[6] Majesty Divine! In: TOZER, A. W. (Comp.). **The Christian Book of Mystical Verse**. Camp Hill, PA: WingSpread Publishers, 1963, 1991. p. 7.

Quero ter uma visão da majestade de Deus — não como o cântico diz: "um brilho efêmero" — não, não quero nada efêmero, quero que o brilho e o encanto da Majestade sejam permanentes! Quero viver onde a face de Deus brilhe todos os dias. Nenhuma criança diz: "Mamãe, quero ver o seu rosto de vez em quando". A criança quer estar onde, a qualquer momento, possa olhar para cima e ver o rosto da mãe.

> Eterno, ilimitado, único, solitário,
> Embora tão sublime em três,
> És grandioso, sempre, um só
> Deus em unidade!
>
> Único em grandeza,
> Único em glória,
> Quem contará tua história maravilhosa,
> Excelsa Trindade?
>
> Esplendores sobre esplendores irradiando
> Mudança e entrelaçamento.
> Glórias sobre glórias espargindo
> Todo o brilho translúcido!
>
> Bênçãos, louvores, adorações,
> Nações trêmulas te saúdam,
> Majestade divina![7]

Estes são os tempos do homem comum. E, além de nos tornarmos comuns, rebaixamos Deus ao nosso nível medíocre. Necessitamos desesperadamente de um conceito elevado de Deus. Talvez por meio de pregações e orações fervorosas

---

[7] Ibid.

e por meio do Espírito Santo possamos ver "esplendores sobre esplendores irradiando mudança e entrelaçamento. Glórias sobre glórias espargindo todo o brilho translúcido!". A Deus podemos oferecer as "bênçãos, louvores, adorações". Que as "nações trêmulas te saúdem, Majestade divina!"

CAPÍTULO 1

A autoexistência de Deus

> *Moisés, porém, respondeu a Deus: "Quem sou eu para apresentar-me ao faraó e tirar os israelitas do Egito?" Deus afirmou: "Eu estarei com você. Esta é a prova de que sou eu quem o envia: quando você tirar o povo do Egito, vocês prestarão culto a Deus neste monte". Moisés perguntou: "Quando eu chegar diante dos israelitas e lhes disser: O Deus dos seus antepassados me enviou a vocês, e eles me perguntarem: 'Qual é o nome dele?' Que lhes direi?" Disse Deus a Moisés: "Eu Sou o que Sou. É isto que você dirá aos israelitas: Eu Sou me enviou a vocês". Disse também Deus a Moisés: "Diga aos israelitas: O SENHOR, o Deus dos seus antepassados, o Deus de Abraão, o Deus de Isaque, o Deus de Jacó, enviou-me a vocês. Esse é o meu nome para sempre, nome pelo qual serei lembrado de geração em geração".* (Êxodo 3.11-15)

Os tradutores escreveram as palavras registradas em Êxodo 3.14, "Eu Sou o que Sou", com letras maiúsculas, pois esse é o nome de Deus a ser lembrado por todas as gerações. "Eu Sou" significa, claro, "Eu Sou o Deus autoexistente". Quero falar sobre o atributo divino da autoexistência, ou a individualidade de Deus. Vou usar as duas palavras e provavelmente outras. Antes, porém, de prosseguir, devo discorrer um pouco sobre um atributo divino — o que é e o que não é.

Ora, um atributo de Deus *não* é aquilo do qual Deus é composto. O próprio fato de que Deus é Deus indica que Deus não é "composto" de maneira alguma. Você e eu somos compostos. Somos compostos de corpo, alma, mente, espírito, imaginação, pensamento e memória. Somos uma composição, porque houve alguém que nos compôs. Deus usou o barro e sua respiração e, da mesma forma que um artista transporta as tintas para a tela, Deus transportou toda a sua genialidade à matéria e ao espírito dos quais o homem é feito e compôs o homem. E, assim, os atributos do homem são as partes componentes; elas compõem o homem.

No entanto, quando falamos dos atributos de Deus, não temos nenhuma ideia na mente, porque ele disse: "Eu Sou o que Sou". Tudo o que é composto foi composto por alguém, e o compositor é maior que a composição. Se Deus, o Pai todo-poderoso, tivesse sido composto, alguém maior que Deus teria de estar lá para "fazer" Deus. Mas Deus não é feito! Assim, não podemos dizer que os atributos de Deus são as partes das quais Deus é feito, porque Deus não é "feito" de partes.

Deus existe em simples unidade. Veja, sou unitariano e também trinitariano. Creio na unidade de Deus. E, quando dizemos que Deus é um, se cremos nas Escrituras, não queremos dizer que existe um só Deus, embora isso também seja verdade. Quando, porém, queremos dizer que Deus é um consigo mesmo, sem partes, Deus é como um diamante; o diamante é um em si. Deus é como ouro; o ouro é um em si — só que essa é uma ilustração pobre e barata. Deus está infinitamente acima de tudo isso.

Os atributos de Deus não são Deus; isto é, digo que Deus é autoexistente, mas essa é a minha suposição a respeito de Deus — não é Deus. Digo que Deus é santo, mas santidade não é Deus. Digo que Deus é sabedoria, mas sabedoria não é Deus. *Deus* é Deus!

Você gostaria de uma definição de atributo como vou usá-la? É algo que Deus declarou ser verdadeiro a respeito dele. E uma coisa Deus declarou ser verdadeira a respeito dele: "Eu Sou o que Sou" — eu existo. Não "eu existirei" ou "eu existi", mas "eu existo". A filosofia do existencialismo começa com as proposições "eu existo" e "não há Deus". Mas o cristão acredita que Deus é a existência original, que ele disse: "Eu Sou". E, porque Deus é, tudo mais que é, é.

Um atributo de Deus é algo que podemos saber a respeito de Deus. Não é saber que tipo de Deus ele é. Neste estudo dos atributos, tentaremos ensinar o que Deus é.

A razão deve ficar sempre aquém de Deus. Em conversa recente com uma das mentes mais brilhantes no mundo evangélico, perguntei:

— Você não acredita, não é mesmo, que tudo o que Deus é pode ser compreendido por nosso intelecto?

— Se eu acreditasse, seria agnóstico — ele respondeu.

Não pensei no que dizer na ocasião, mas depois raciocinei: "Se você acredita que tudo o que Deus é pode ser compreendido pelo intelecto, você não é agnóstico; é racionalista". Racionalismo puro e simples é isto: acreditar que posso entender qualquer coisa que Deus diz e qualquer coisa que Deus é, se é que há um Deus. A ideia de que meu cérebro é o critério de todas as coisas chama-se racionalismo. E o racionalismo quase sempre segue uma ortodoxia rígida e severa, porque praticamente diz: "Conheço Deus, entendo Deus e sou capaz de compreender Deus a fundo".

A verdade, porém, é que Deus se eleva transcendentemente acima de tudo o que podemos entender. A mente humana deve ajoelhar-se diante do grande Deus todo-poderoso.

O que Deus é nunca será totalmente compreendido pela mente; pode ser apenas revelado pelo Espírito Santo. Se o Espírito Santo não revelar o que estou tentando dizer-lhe a respeito de Deus, você apenas sabe alguma coisa *a respeito de* Deus.

A pequena canção diz: "Mais sobre Jesus quero saber", porém não é saber mais *sobre* Jesus que o coração anseia. É pelo *próprio Jesus* que ele anseia! É ter conhecimento *de* Deus, não ter conhecimento *a respeito de* Deus.

Eu poderia saber tudo sobre o primeiro-ministro do Canadá, mas não o conheço — nunca o vi pessoalmente. Pelo que ouço e leio e pelos discursos que faz, imagino que seja um cavalheiro. Se convivesse com ele por uns tempos — se viajasse com ele, comesse com ele, conversasse com ele —, imagino que passaria a conhecê-lo. Mas por ora eu apenas tenho conhecimento *a respeito* dele, só isso. Sei alguma coisa sobre ele — idade, formação etc. —, mas não o conheço.

Então, quando falamos dos atributos de Deus, falamos de sua essência intrínseca, da qual ele diz: "Eu Sou". Mas estamos falando apenas daquilo que o intelecto é capaz de compreender. Felizmente, há algumas coisas que o intelecto pode saber a respeito de Deus. E, mesmo que não possamos saber a respeito de Deus, a não ser pelo Espírito Santo, a mente nunca está mais ocupada do que quando busca conhecer esse grande Deus todo-poderoso.

Apesar de o conhecimento imperfeito que você e eu temos de nosso Pai que está no céu nos causar tanto enlevo e satisfazer de modo tão profundo as raízes de nosso ser, como será naquele dia em que veremos seu rosto? Como será no dia em que não mais dependeremos de nossa mente, mas quando, com os olhos pioneiros de nossa alma, contemplarmos o rosto de Deus sem intermediação? Maravilhoso! É bom estar familiarizado com Deus agora, para que no fim dos tempos você não fique desconcertado na presença dele.

Gostaria de destacar um ponto aqui: tudo o que é verdadeiro a respeito de Deus é verdadeiro a respeito das três pessoas da Trindade. Você sabia que houve um tempo em que a ideia de Jesus ser Deus — ser verdadeiramente Deus — era aceita apenas por uma parte da igreja, mas não pela outra?

Um homem chamado Ário chegou e começou a ensinar que Jesus era um homem bom, um homem superior, mas não era Deus. E os líderes da igreja se reuniram, formando um concílio, o nome dado a esse evento. Estudaram o assunto e nos ofereceram o *Credo de Atanásio*. Veja a conclusão à qual chegaram, e nunca vou deixar de agradecer a Deus por esses homens maravilhosos, cultos e piedosos. Eles disseram: "Adoramos o único Deus na Trindade, e a Trindade na unidade".

Sou unitariano porque acredito na unidade de Deus. Sou trinitariano porque acredito na trindade de Deus. E um não contradiz o outro.

> Adoramos o único Deus na Trindade,
>   e a Trindade na unidade,
> Não confundindo as pessoas nem separando o ser.
> Pois uma é a pessoa do Pai, outra a do Filho
>   e outra a do Espírito Santo.
> Mas o Pai, o Filho e o Espírito Santo possuem uma só
>   divindade, igual glória e igual majestade eterna.

Não sei se você vai concordar, mas, para mim, soa como música ouvir os antigos, piedosos e sérios pais da igreja declararem esse credo a todas as eras. Nos últimos 1.600 anos, a igreja tem se banqueteado com estas palavras:

> Assim como é o Pai, assim é o Filho,
> assim é também o Espírito Santo.
> Incriado é o Pai, incriado o Filho, incriado o Espírito Santo.
> Imenso é o Pai, imenso o Filho, imenso o Espírito Santo.
> Eterno é o Pai, eterno o Filho, eterno o Espírito Santo.
> Contudo, eles não são três eternos, mas um só eterno,
> Como não são três incriados nem três incompreensíveis,
> mas um só incriado e um só incompreensível.
> Igualmente o Pai é todo-poderoso, o Filho é
> todo-poderoso, o Espírito Santo é todo-poderoso.
> Contudo, eles não são três todo-poderosos,
> mas um só todo-poderoso.
> Assim o Pai é Deus, o Filho é Deus,
> o Espírito Santo é Deus.
> Contudo, eles não são três Senhores, mas um só Senhor.

Ora, é nisso que cremos, meus irmãos; cremos nas três pessoas, mas em um só Deus.

As três pessoas são três, mas o único Deus é um. E é nisso que cremos. Assim, quando eu falo de Deus, refiro-me às três pessoas da Trindade. Você não pode separá-las — "não pode dividir a substância", diziam nossos antigos pais. Você não pode ter Deus, o Pai, se não tiver Deus, o Filho; não pode ter Deus, o Espírito, se não tiver o Pai e o Filho, "pois o Espírito procede do Pai e do Filho". Então, quando estou falando de Deus, estou falando do Pai, do Filho e do Espírito Santo. Não confunda as pessoas, porque são três pessoas. Mas tudo o que é verdadeiro a respeito do Pai é verdadeiro a respeito do Filho e do Espírito Santo. E tudo o que é verdadeiro a respeito do Filho e do Espírito Santo é verdadeiro a respeito do Pai. Vamos esclarecer o assunto antes de prosseguirmos.

A individualidade autoexistente

Deus é individualidade autoexistente. Novaciano, pai da igreja, disse: "Deus não tem origem". Apenas quatro palavras, "Deus não tem origem", exigiriam uma aula ministrada à média das pessoas. Origem, veja bem, é uma palavra referente a criatura. Tudo veio de algum lugar. Uma das perguntas que toda criança faz é: "De onde eu vim?". Você tem uma responsabilidade nas mãos! Não será suficiente dizer que ela veio de Jesus, porque, quando for mais velha, perguntará: "Como eu vim de Jesus?".

Tudo tem uma origem. Quando você ouve um pássaro cantar, sabe que, um dia, ele esteve dentro de um ovo pequenino. Veio de algum lugar; veio de um ovo. De onde veio o ovo? Veio de outra ave, e aquela ave veio de outro ovo pequenino, e aquele ovo veio de outra ave, e assim por diante, de volta, de volta, de volta ao coração de Deus, quando ele disse: "[...] Ajuntem-se num só lugar as águas que estão debaixo do céu, e apareça a parte seca [...]", como está escrito em Gênesis 1.9.

Origem é uma palavra referente a criatura. As árvores tiveram uma origem, o espaço teve uma origem, as montanhas, os mares — todas as coisas têm uma origem. Mas, quando retrocedemos a Deus, retrocedemos àquele que não teve origem. Ele é a causa de todas as coisas, a Causa incausada.

Tudo é causa e efeito. Por exemplo, um homem andando na rua com seu filho pequeno é a causa do filho. Mas o homem é também o efeito, foi causado por outra pessoa — seu pai. É causa e efeito, causa e efeito, no decorrer dos tempos, até chegarmos à Causa que é a Causa de todas as causas — Deus. Deus é o Deus incausado, de tudo. Ele é a origem que não teve origem.

O mesmo *Credo de Atanásio* diz:

> O Pai não foi feito por ninguém, nem criado, nem gerado.
> O Filho não foi feito, nem criado, mas gerado, somente pelo Pai.
> O Espírito Santo não foi feito, nem criado, nem gerado pelo Pai e Filho, mas procede deles.

Quero orar e estudar, pensar e meditar em Deus e aprender a língua do lugar para onde vou. Vou para o lugar onde o Pai está, e também o Filho e o Espírito Santo. Todo o grande grupo de remidos está lá — os que foram lavados pelo sangue, regenerados e santificados. E, quando lá chegar, quero ser capaz de falar a língua daquele lugar — sem nenhum sotaque do inglês americano!

Quero conhecer a língua do lugar para onde vou, e a origem dessa língua, a origem do próprio céu, é Deus. Deus em si não tem origem, mas foi ele quem deu origem a tudo. Ele é a Causa incausada, de tudo. Deus é o original, o "Eu Sou o que Sou". O verbo "ser" (como em "Eu Sou") é a raiz latina da palavra "essência". Deus é o original, essência incriada.

Deus não descende de nada. Todos descendem de alguém, e tudo procede de alguma coisa. Mas, quando se trata de Deus, Deus não procede de nada — é incriado. Se Deus derivasse de alguma coisa, então essa coisa teria existido antes de Deus.

É por isso que uma das expressões mais tolas que já foi usada em todo este vasto mundo é dizer que Maria é a "mãe de Deus". Como Maria poderia ser a mãe de Deus, se Deus é a essência original? Maria não existia antes de Deus. Ela é a mãe de Jesus em forma humana e nada mais que isso. Foi no ventre santo da virgem Maria que o grande Deus todo-poderoso se comprimiu na forma de um bebê. Portanto, nós a honramos e a respeitamos extremamente, porque ela é bendita entre as mulheres como aquela que Deus usou como canal para vir a este nosso mundo. Mas, antes de Maria existir, Deus existia! E, antes de Abraão existir, Deus existia. E, antes de Adão existir, Deus existia! E, antes de o mundo existir — as estrelas, as montanhas, os mares, os rios, as planícies e as florestas —, Deus existia! E Deus é e Deus sempre será. Deus é o ser original. A individualidade de Deus é seu ser santo — sua existência independente e não sustentada.

A individualidade de Deus e a oração

Você já pensou em Deus sem se ajoelhar e pedir alguma coisa? A maioria de nós, quando ora, leva sua lista de compras a Deus e diz: "Senhor, gostaríamos de ter isto, isto e aquilo". Agimos como se fôssemos comprar alguma coisa na loja da esquina. E Deus é rebaixado em nosso pensamento como nada mais que alguém que nos dá o que queremos quando estamos com problemas.

Ora, Deus nos dá o que queremos — ele é um Deus bondoso. A bondade de Deus é um de seus atributos. Mas espero que não imaginemos que Deus existe apenas para responder às orações das pessoas. Um empresário que deseja firmar um contrato recorre a Deus e diz: "Senhor, dá-me". Um aluno que deseja ter uma boa nota recorre a Deus e diz: "Dá-me".

Um jovem que deseja que a garota lhe diga sim ajoelha-se e diz: "Pai, dá-me aquela garota". *Usamos* Deus como uma espécie de recurso para receber o que queremos. Nosso Pai celestial é muito, muito bondoso, e diz que devemos pedir. Tudo o que pedirmos em nome de Jesus ele nos dará, se estiver dentro dos limites de sua vontade. E a vontade dele é tão grande quanto o mundo inteiro. No entanto, devemos pensar em Deus como um ser santo, não apenas como alguém do qual recebemos coisas. Deus não é um Papai Noel glorificado que nos dá tudo o que queremos e depois desaparece e nos deixa à própria sorte. Ele dá, mas, no ato de dar, ele também se dá. E o melhor presente que Deus nos dá é ele próprio. Ele dá respostas à oração, mas, depois de termos utilizado a resposta ou não mais necessitarmos dela, continuamos a ter Deus. No ser de Deus, não há pecado. Nós, criaturas corretas, adequadas e bíblicas, temos tudo a dizer contra o eu e o egoísmo — esse é o grande pecado. Mas o ser de Deus não é pecaminoso, porque foi Deus quem deu origem a todos nós, e somente o nosso eu decaído é pecaminoso. Deus não tem pecado, porque ele é o Deus original, não decaído e santo. O poeta diz:

> Em louvor incansável de ti mesmo
> Tuas perfeições resplandecem.
> Autossuficiente e que a ti mesmo admiras,
> Essa vida deve ser tua.
> Glorificando a ti mesmo, mas irrepreensível,
> Com uma santidade totalmente visível
> És tão divino![1]

---

[1] FABER, p. 7,8.

Deus ama a si mesmo — o Pai ama o Filho, o Filho ama o Pai e o Filho e o Pai amam o Espírito Santo. Os homens entendiam isso nos tempos antigos, na época em que eram pensadores em vez de imitadores e pensavam dentro dos limites da Bíblia.

Incidentalmente, ao discutir os atributos de Deus, não estou tentando pensar em como subir até Deus. Pensar em subir até Deus é mais ou menos como subir uma escada para chegar à Lua. Você não pode pensar em como chegar ao Reino do céu — você vai pela fé. Mas, depois que chegar, poderá pensar no Reino do céu. Não pode pensar em como chegar à Inglaterra, mas, quando lá chegar, poderá pensar na Inglaterra.

Assim sendo, Deus ama a si mesmo. E ele ama a si mesmo porque é o Deus que criou o amor. Ele é o Eu Sou amor, a essência de toda a santidade e a fonte de toda a luz autoconsciente. As palavras "eu" e "eu sou" sempre se referem a eu mesmo. Conheci um velho amigo muito querido — Deus o abençoe, hoje ele está no céu e usará uma coroa tão grande que vai cair sobre seus ombros, tenho certeza. Ele foi missionário na China e não acreditava muito em dizer "eu". Sabia que "eu" quer dizer "eu mesmo", e o eu mesmo decaído é uma coisa pecaminosa, portanto ele sempre dizia "alguém". E dizia coisas como: "Quando alguém estava na China, alguém disse isto e alguém fez aquilo". Apesar de referir-se a si mesmo, ele receava dizer "eu". Suponho que, se ele tivesse escrito o salmo 23, usaria estas palavras: "O Senhor é o pastor de alguém, nada faltará a esse alguém...".

Não há nada errado em dizer "eu" ou "eu sou". Mas, quando você diz "eu sou", deve sempre usar o "sou" em letra minúscula.

Quando, porém, disse "Eu Sou", Deus usou letra maiúscula — há uma diferença. Quando Deus diz "Eu Sou", significa que ele não procede de nenhum lugar. Ele começou tudo — ele é Deus. Mas, quando digo "eu sou", sou um pequeno eco de Deus.

Creio que Deus tem muito, muito orgulho de seus filhos. Creio que em toda a imensidão deste Universo Deus se sente feliz em chamar seu povo de seu povo. Você se lembra do que Deus disse a respeito de Jó? Todos os filhos de Deus — os anjos — estavam passando como em um desfile, e quem vem com eles? O próprio Satanás. Que atrevimento, que arrogância caminhar ao lado dos filhos santos de Deus! E, quando ele passou diante do palanque, Deus disse: "Você viu meu servo Jó? Ele é um homem bom e evita o mal. Você viu meu servo Jó?" (v. Jó 1.8). Deus sentia orgulho de Jó.

Deus sente orgulho de seu povo e sente orgulho que digamos "eu sou", como um pequeno eco, porque ele é a voz original que disse: "Eu Sou o que Sou". A doutrina do homem feito à imagem de Deus é uma das doutrinas básicas da Bíblia e uma das mais sublimes, mais amplas, mais magnânimas e mais gloriosas que conheço. Não há nada errado com o autorrespeito, não há nada errado em dizer "eu sou", "eu serei" e "eu faço", desde que nos lembremos de usar o "sou" com letras minúsculas, como um eco do Ser original que foi o primeiro a dizer: "Eu Sou".

Não é estranho que Deus, o Filho, tenha sido chamado de Palavra e que Deus tenha capacitado o homem a falar? Ele não capacitou nenhuma outra criatura a falar. Nem o cão da mais fina raça é capaz de falar, nem o papagaio da melhor espécie (dizem que os papagaios falam, mas não sabem o que estão falando). Somente o homem é capaz de falar, porque somente o homem possui essa coisa que chamamos de *logos* — a Palavra.

A essência do pecado é independente do eu. Veja, Deus sentou-se no trono — o Eu Sou. E o homem veio e disse: "eu serei" e quis elevar-se acima do trono de Deus. Desobedeceu a Deus e, entusiasmado, achou-se no direito de tornar-se um pequeno deus. O mundo pecaminoso diz "eu sou", esquecendo-se de que os homens são um eco daquele que está acima de tudo e diz isso por direito próprio.

Mussolini disse: "Farei de minha vida uma obra-prima". Que obra-prima ele foi — aquele gorila grande, inchado e arrogante! E agora está apodrecendo na terra, e os vermes festejam sobre o homem que se apresentava em uma sacada e fazia discursos longos, barulhentos e bombásticos. O pecado é isso.

A definição de pecado é o eu decaído. Deus nos fez para sermos como planetas — girando e girando, sustentados pela atração magnética do Sol. Da mesma forma, Deus é o grande "sol da justiça" (Malaquias 4.2). E ao redor dele, aquecidas, curadas, abençoadas e iluminadas por esse ser santo, todas as suas criaturas se movem — todos os serafins, querubins, anjos, arcanjos, filhos de Deus e sentinelas — nos céus. E o melhor de todos era o homem, feito à imagem de Deus. Giramos em torno de Deus como um planeta gira em torno de seu sol.

Então, um dia o pequeno planeta disse: "Serei meu próprio sol. Fora com esse Deus". E o homem caiu. É por isso que chamamos isso de queda do homem. Foi aí que o pecado entrou — o pecado aproximou-se, tomou o eu de Deus e disse: "Eu serei eu mesmo". E Deus foi excluído. Como disse o santo apóstolo, os homens não gostaram de ter Deus na mente, e, então, Deus os entregou a paixões vergonhosas (v. Romanos 1.26). E o mal que hoje causa preocupação à polícia, aos educadores, médicos e psiquiatras — desvio de conduta, sodomia, exibicionismo e todo o resto —, tudo resulta do fato de o homem não querer ter esse Deus na mente ou no coração, de não o reconhecer como Deus. O homem decidiu sozinho ser seu pequeno deus.

Não é assim que o pecador age em geral? Ele é seu próprio Deus. É o sol. Apresenta-se com letras maiúsculas e se esquece de que há alguém acima dele que o julgará.

O pecado tem sintomas e manifestações, da mesma forma que o câncer tem certas manifestações. Vi algumas vítimas de câncer durante a vida; meu pai morreu de câncer. Elas tinham sintomas, mas os sintomas não são o câncer. O pecado tem também manifestações — muitas manifestações. Paulo apresenta uma lista delas em Gálatas 5.19-21: "Ora, as obras da carne são manifestas: imoralidade sexual, impureza e libertinagem; idolatria e feitiçaria; ódio, discórdia, ciúmes, ira, egoísmo, dissensões, facções e inveja; embriaguez, orgias e coisas semelhantes [...]".

Ainda assim, ele não mencionou o pecado; mencionou os sintomas do pecado. Essas coisas são sintomas de algo mais profundo: nosso eu assertivo. É a afirmação do meu eu, um ser criado e que teve uma origem, colocando-me no trono e dizendo: "Eu sou eu: eu sou o que sou".

Tenho lido livros sobre o existencialismo. Eu poderia estremecer e lamentar que os homens possam estar tão tragicamente enganados como estão, mas sabia disso porque leio a Bíblia. Os existencialistas dizem que o homem é — o homem não foi criado, o homem *é* — e ele tem de começar a partir desse ponto. O homem não tem nenhum Criador, nenhum planejador, ninguém que tenha pensado em criá-lo: ele apenas *é*. Os existencialistas levam o homem a dizer aquilo que apenas Deus pode dizer: "Eu sou o que sou". O homem pode dizer, em tom de voz humilde e modesto "eu sou", mas somente Deus pode dizer com letras maiúsculas: "Eu Sou o que Sou". O homem esqueceu-se disso e de que é pecado.

Seu temperamento não é pecado; pecado é algo mais profundo que seu temperamento. Sua luxúria não é pecado; pecado é algo mais profundo que luxúria; luxúria é apenas um sintoma. Todos os crimes do mundo — toda a maldade, todos os roubos, estupros, deserções e assassinatos — não passam de manifestações externas de uma doença interior: o pecado.

No entanto, o pecado não é considerado uma doença, mas uma atitude, uma perturbação. Deus, o Eu Sou o que Sou, o eterno autossuficiente, o autoexistente, está sentado em seu trono. Criou o homem à sua imagem e deu-lhe livre-arbítrio. Ele disse: "O homem pode fazer o que lhe agrada". Queria que o homem girasse ao redor do trono dele como os planetas giram em torno do Sol. E repito, o homem disse: "Eu sou o que sou", afastou-se de Deus e foi dominado pela natureza pecaminosa. Independentemente de quantas manifestações o pecado possa ter, lembre-se de que a essência líquida na garrafa é sempre o eu.

É por esse motivo que nem sempre é fácil convencer o homem a se tornar um cristão verdadeiro. Você pode conseguir que ele assine uma ficha, tome uma decisão, se filie a uma igreja ou algo parecido. Mas convencer alguém a livrar-se do pecado é uma tarefa muito difícil porque significa que eu tenho de descer do trono. Esse trono pertence a Deus, porém o pecado afastou Deus e assumiu o controle.

Você é capaz de imaginar tal coisa? O grande Deus todo-poderoso, Criador do céu e da terra, disse: "Este é o meu nome em todas as gerações, meu memorial eterno: Eu Sou o que Sou. Nunca fui criado, não fui feito, Eu sou. Criei você por amor. Criei você para adorar-me, honrar-me e glorificar-me. Criei você para amá-lo, guardá-lo e entregar-me a você. Mas você se afastou de mim. E você se fez um deus e sentou-se em meu trono". Isso é pecado.

É por esse motivo que a Escritura diz: "[...] Ninguém pode ver o Reino de Deus, se não nascer de novo" (João 3.3). O que significa "nascer de novo"? Entre outras coisas, significa renovação, novo nascimento, mas significa também descer do trono e colocar Deus nele. Significa que o Deus autoexistente é reconhecido por quem ele é.

Com reverência e humildade, ajoelho-me diante de seu Filho, que morreu e ressuscitou, que vive e intercede, e digo: "Ó Senhor Jesus, eu me rendo. Não vou mais me sentar no teu trono e dirigir minha vida. Não vou mais confiar em minha justiça, que não passa de trapo imundo. Não vou mais acreditar em minhas boas obras nem em minhas atividades religiosas. Vou confiar em ti, o Deus da graça, o Deus que entregou o próprio Filho para morrer". E assim ocorre o novo nascimento, eu confio no Senhor Jesus Cristo, o homem na glória, meu Salvador e Senhor. E assim sou salvo. Muito tempo atrás, havia alguém com o nome de Lúcifer, a quem Deus concedeu uma posição mais alta que a de qualquer outra criatura — no próprio trono de Deus. Um dia, o orgulho falou mais alto, e ele disse: "Vou subir e estabelecerei meu trono acima do trono de Deus". Ele tornou-se orgulhoso, e Deus o derrubou (v. Isaías 14.12-14).

Esse é o Diabo.

É o Diabo que conduz o mundo hoje, "o príncipe do poder do ar, o espírito que agora está atuando nos que vivem na desobediência" (Efésios 2.2), bem no meio dos líderes da sociedade, de nossos políticos, nossos literatos e todo o resto. Isso ocorre não apenas na América do Norte, mas também em todo o mundo desde o dia em que Adão pecou. Somos culpados de ofender a majestade de Deus, insultar o Rei que está sentado no trono eterno e incriado. Somos culpados de rebelião sacrílega.

Não é uma questão de você estar fazendo um favor a Jesus Cristo ao se apresentar diante da congregação e assinar uma ficha com um largo sorriso. É uma questão de perceber que você ocupa um trono roubado — um trono que pertence a Jesus Cristo, o Filho do Pai. Você diz: "Eu Sou o que Sou", com letras maiúsculas, quando deveria dizer com humildade e reverência: "Ó Deus, eu sou porque tu és". Este é o significado de novo nascimento: arrependimento e fé.

Então, como é Deus? Deus não é como qualquer coisa que você conhece, no sentido de que Deus é autoexistente e nada mais é autoexistente.

> Antes que os montes existissem,
> Antes que a Terra tivesse forma,
> Desde a eternidade tu és Deus,
> És e sempre serás o mesmo.[2]

---

[2] WATTS, Isaac. **O God, Our Help in Ages Past**. Hymns of the Christian Life, 7. ed., n. 13, 1978.

Quando o céu e a terra eram sem forma,
Quando o tempo ainda não existia,
Tu, em tua glória e majestade,
Viveste e amaste sozinho!
Tu não nasceste; não existe nenhuma fonte
De onde vieste.
Não há nenhum fim que não possas alcançar:
Tu és simplesmente Deus.[3]

Pai nosso, que estás nos céus, tu és Deus, e teu nome é Eu Sou o que Sou para sempre. Em teu amor me criaste, mas pequei. "Somos como ovelhas desgarradas" — *essa é a essência do pecado. Todos nós escolhemos seguir nosso caminho, e nosso caminho termina no inferno. E nosso Senhor disse: "Se alguém quiser me seguir, negue--se a si mesmo". Pai, reconheço teu direito de dirigir meus negócios, teu direito de dirigir meu lar, teu direito de guiar minha vida, teu direito de ser tudo em tudo para mim. "Não eu, mas Cristo deve ser honrado, amado, exaltado. Não eu, mas Cristo deve ser visto, ouvido, conhecido." Não eu, mas Cristo.*

---

[3] FABER, p. 37.

CAPÍTULO 2

A transcendência de Deus

Teus, ó Senhor, são a grandeza, o poder, a glória, a majestade e o esplendor, pois tudo o que há nos céus e na terra é teu. Teu, ó Senhor, é o reino; tu estás acima de tudo. (1Crônicas 29.11)

"Você consegue perscrutar os mistérios de Deus? Pode sondar os limites do Todo-poderoso? São mais altos que os céus! O que você poderá fazer? São mais profundos que as profundezas! O que você poderá saber?" (Jó 11.7,8)

"E isso tudo é apenas a borda de suas obras! Um suave sussurro é o que ouvimos dele. Mas quem poderá compreender o trovão do seu poder?" (Jó 26.14)

Grande é o Senhor e digno de ser louvado; sua grandeza não tem limites. (Salmos 145.3)

"Pois os meus pensamentos não são os pensamentos de vocês, nem os seus caminhos são os meus caminhos", declara o Senhor. "Assim como os céus são mais altos do que a terra, também os meus caminhos são mais altos do que os seus caminhos; e os meus pensamentos, mais altos do que os seus pensamentos." (Isaías 55.8,9)

[Ele é] o único que é imortal e habita em luz inacessível, a quem ninguém viu nem pode ver. A ele sejam honra e poder para sempre. Amém. (1Timóteo 6.16)

A expressão "transcendência divina" pode soar como algo que exija muito aprendizado ou, pelo menos, uma reflexão profunda para entender, mas não. *Transcender* significa simplesmente elevar-se acima do comum, ser superior, estar acima. Evidentemente, é muito difícil pensar em Deus como *transcendente* e também como *imanente* ou *onipresente* ao mesmo tempo. É difícil entender como Deus pode estar aqui conosco, em nós, interpondo-se em todas as coisas, e ao mesmo tempo transcendendo todas as coisas. Parece contradição, mas, como ocorre com muitas outras contradições aparentes, não é absolutamente contraditório; os dois conceitos estão inteiramente de acordo um com o outro.

Deus está sempre mais perto do que você imagina que ele possa estar. Os pensamentos que você tem não estão tão perto de você quanto Deus está; sua respiração não está tão perto de você quanto Deus está; sua alma não está tão perto de você quanto Deus está. E, pelo fato de ele ser Deus, o seu ser incriado está muito acima de nós, portanto nenhum pensamento é capaz de compreender, nenhuma palavra é capaz de expressar.

Quero deixar bem claro que, quando digo "muito acima", não me refiro a ele estar longe em termos geográficos ou astronômicos. É uma analogia. Somos seres humanos e vivemos neste mundo, por isso aprendemos a falar por analogia.

Quase tudo o que dizemos é por analogia. Todos nós somos poetas e não sabemos disso, como diz o ditado. Poeta é alguém que se expressa por analogias, que vê a eternidade em uma hora e o mundo em um grão de areia. Você e eu estamos sempre pensando e falando por analogias. Quando dizemos que um homem é reto, nós o comparamos a uma régua. Quando dizemos que a régua tem 1 pé[1] de comprimento, comparamos a régua a um pé humano.

Dizemos que um homem está "fora da base" — expressão usada no beisebol. Dizemos que alguém "está na contagem regressiva" — expressão usada no boxe. Dizemos que alguém "pôs todas as cartas na mesa" — expressão usada em jogos. Quase tudo o que dizemos é uma analogia extraída do mundo ao nosso redor. Cada fase da vida oferece-nos ferramentas para pensar.

Portanto, quando dizemos que Deus está "muito acima", estamos usando uma analogia. Pensamos em uma estrela distante de nós, lá longe no espaço, mas o significado não é esse quando pensamos no Deus transcendente.

Se você não entender este ponto, talvez interrompa a leitura, porque ele é muito importante para entender o que se segue. Quando dizemos que a transcendência de Deus está "muito acima", não estamos pensando em distância astronômica ou magnitude física. Deus nunca pensa em *tamanho*, porque ele *contém* tudo. Nunca pensa em *distância*, porque ele está *em toda parte*. Não tem de ir de um lugar a outro, por isso distância não significa nada para ele. Nós, humanos, usamos essas expressões para ajudar-nos a pensar. São analogias e ilustrações.

Imagine, se puder, uma criança que se perdeu nas montanhas. A família está reunida em um piquenique, e o pequenino sai de perto e desaparece. Começam as buscas com a ajuda de cães farejadores; todos fazem o possível para encontrar a criança. Ela é muito pequena e talvez tenha 2 anos de idade.

---

[1] Medida equivalente a 30,48 cm. [N. do T.]

Chegou ao mundo há pouco tempo e não sabe quase nada; ainda não cresceu o suficiente. Talvez, se tiver boa saúde, pese quase 20 quilos. E, no que se refere a este mundo, ela poderia desaparecer, e ninguém, a não ser os familiares com o coração sangrando, sentiria sua falta.

Lá está ela, perdida em uma montanha. Ora, a montanha pesa milhões, talvez bilhões, de toneladas. E nela há minérios e jazidas minerais que valem milhares de dólares. Há madeira e animais transitando por ela. A montanha é bela, imensa e poderosa — tão poderosa que ficamos diante dela como os judeus diante do monte Sinai. Seu tamanho gigantesco nos deixa perplexos.

No entanto, o pequenino de 2 anos de idade, pesando menos de 20 quilos, tem maior valor que a montanha. A montanha tem tamanho e mais nada. Não pode dizer "mamãe", "papai" ou "quero dormir na cama". Não pode beijar você nem passar os braços rechonchudos ao redor de seu pescoço. Não pode orar, não pode rir e não pode pular de alegria. E à noite não pode dormir em sua caminha com o corpo totalmente relaxado. Falta-lhe tudo o que Deus valoriza.

A montanha tem estabilidade, força, peso, massa, tamanho, forma, contorno e cor. Mas não tem coração. E, quando Deus pensa nas pessoas, ele pensa em corações, não em tamanhos. E nós dizemos que Deus está no alto, nas alturas, e é sublime e transcendente. Não pensamos em distância, porque não é o que importa. É a qualidade de ser que importa. É o que torna a criança valiosa e a montanha não. A montanha tem existência, mas não possui a qualidade de ser elevada e transcendente. A criança tem menos existência, mas possui a qualidade de ser infinitamente mais elevada.

A transcendência de Deus

Talvez você tenha dificuldade de acreditar, mas Deus está tão acima de um arcanjo quanto um arcanjo está acima de uma lagarta. Você conhece a lagarta — é um verme pequeno, do tamanho de seu dedo, coberto de pelos. E, claro, não pertence à alta classe. Nunca fez parte da sociedade. Não vale muita coisa — é apenas um verme. E é preciso olhar atentamente para saber se a lagarta está indo para um lado ou para o outro, porque as duas extremidades são iguais. Assim é a lagarta.

O arcanjo, por outro lado, é aquela criatura santa que vemos ao lado do mar de Deus, na presença do trono de Deus. Essa criatura poderosa é um pouco mais alta que os anjos, da mesma forma que o homem foi feito um pouco menor que eles. Esse ser pode olhar para a face de Deus com o semblante descoberto. Esse é o arcanjo. Nunca pecou e ninguém sabe quão grande ele é. No entanto, Deus está acima daquele arcanjo da mesma forma que está acima da lagarta.

Por quê? Porque tanto o arcanjo quanto a lagarta são criaturas. E Deus é o ser incriado que não teve começo, o ser autoexistente que nunca foi criado, mas que era simplesmente Deus, que fez todas as coisas. O arcanjo é uma criatura; Deus teve de criá-lo, Deus teve de falar e dizer: "Seja", e o arcanjo tornou-se o que ele é — uma criatura. Ele não é Deus e nunca se tornará Deus, e Deus nunca se tornará arcanjo.

Há um abismo imenso, um abismo infinito, estabelecido entre o que é Deus e o que não é Deus — entre o grande Eu Sou e todas as coisas criadas, desde o arcanjo até o menor de todos os vírus que não pode ser visto a olho nu. Deus fez tudo isso e é igualmente mais alto, tanto de um quanto do outro. A qualidade da vida incriada de Deus torna-o transcendente, muito acima de todas as criaturas.

43

Temos de ser cautelosos para não pensar na vida em termos evolucionários — e até os cristãos são culpados por aceitar às vezes essa teoria. Pensamos que a vida começa com uma célula, depois torna-se um peixe, depois um pássaro, depois um animal, depois um homem, depois um anjo, depois um arcanjo, um querubim, um serafim e depois Deus. Essa ideia simplesmente coloca Deus no ponto mais alto de uma pirâmide de criaturas — e *Deus não é uma criatura*. Deus está igualmente acima do serafim e da célula, porque Deus é Deus. Deus é constituído de uma substância totalmente única.

Como, porém, posso prosseguir — como qualquer homem pode prosseguir? Como posso falar daquilo que todos os seres humanos não são capazes de falar? Como posso pensar naquilo que está acima de todos os pensamentos? E como posso falar quando o silêncio me tornaria melhor? Santo Agostinho disse: "Ó Deus, quando quero falar de ti, não posso; no entanto, se não falei, alguém deve falar". E ele venceu a dificuldade e falou.

Fico a pensar se alguma criatura santa, que tem passado séculos olhando para a face santa de Deus, ouve as nossas palavras — nossas vãs e fúteis palavras, a tagarelice da multidão de homens atarefados deste mundo e a conversa sem sentido dos púlpitos. Como seria estranha e bem aceita uma conversa como essa, embora não tivesse relação maior com a verdade absoluta de tudo isso do que uma criança de 2 anos de idade tocando violino teria relação com uma boa música ao violino. No entanto, qualquer pai sorriria se, em obediência à sua sugestão, a criança pegasse o violino e tentasse tocar. Todo pai, quando está longe de casa, sabe o que significa receber uma carta escrita com letras maiúsculas por um filho pequeno na escola — com palavras tortas escritas incorretamente e outras coisas mais —, porém é uma carta vinda de casa, de um pequenino que ele ama muito.

Imagino que essa mensagem sobre a transcendência de Deus esteja muito longe daquilo que deveria ou poderia ser. Ainda assim, penso que agrada a Deus porque, se comparada a toda a tagarelice do mundo, é pelo menos um esforço para falar do Deus grandioso e santo, elevado e nas alturas.

Gostaria de saber se algum ser santo, alguma sentinela, que tem passado séculos ao lado do trono de Deus, receberia permissão para falar em um dos nossos púlpitos, caso viesse à terra. Suponho que, se falasse aqui, diria muito pouco daquilo que estamos acostumados a ouvir. Suponho que encantaria nossos ouvidos, fascinaria nossa mente e alegraria nosso coração ao falar de Deus — o Deus grandioso, o Deus extasiante, o Deus que entregou seu Filho para morrer por nós, o Deus em cuja presença esperamos viver pelos séculos dos séculos.

Suponho que, depois de ouvir um ser falar sobre esse Deus, nunca mais aceitaríamos ouvir um sermão tolo, "oportuno", publicado na revista *Time*. Imagino que insistiríamos para que alguém que ousasse tomar nosso tempo pregando a nós não tentasse decidir falar dos problemas políticos ou econômicos do mundo, mas falasse de Deus e somente de Deus.

A ti, ó Deus, louvamos: reconhecemos-te como Senhor.
A ti toda a terra te adora, Pai da eternidade.
A ti todos os anjos cantam:
    céus e terra proclamam o teu poder.
A ti os querubins e serafins aclamam incessantemente:
Santo, Santo, Santo, Senhor Deus dos Exércitos!
Cheios estão o céu e a terra da majestade de tua glória.

O glorioso coro dos apóstolos te louva.
A grandiosa multidão de profetas te louva.
O nobre exército de mártires te louva.
A santa igreja ao redor do mundo te louva.
Pai de infinita majestade;
E ao teu honrado, verdadeiro e único Filho;
E também ao Espírito Santo: o Consolador.[2]

Assim cantavam nossos pais essa música conhecida como *Te Deum*. Hoje esquecemo-nos dela, porque não somos espiritualmente capazes de entendê-la. Queremos ouvir palavras que façam cócegas em nossos ouvidos.

Ora, o homem santo de Deus disse:

"E isso tudo é apenas
a borda de suas obras!
Um suave sussurro
é o que ouvimos dele [...]" (Jó 26.14).

Tudo o que podemos pensar ou dizer é racional. Mas Deus se eleva racionalmente. Eleva-se tão alto acima do racional quanto se eleva acima do físico. Deus é constituído de uma essência e substância que não se assemelham a nada que existe no Universo. Ele está acima de tudo, e ainda assim podemos conhecer uma pequena parte dos caminhos de Deus. Quando eu prego sobre o ser de Deus, os atributos de Deus, quando falo sobre o que Deus é e que tipo de Deus ele é, o faço com toda a reverência, de longe. Aponto o dedo com reverência ao pico do monte que é Deus, que se eleva infinitamente acima de meu poder de compreensão.

---

[2] Te Deum Laudamus, **Christian Book of Mystical Verse**, p. 87-89.

Mas isso é apenas uma pequena porção. Os meandros dos caminhos de Deus não podem ser conhecidos; o resto é super-racional.

Creio que devemos devolver o misticismo espiritual à igreja. Creio que devemos voltar ao esforço de andar e falar com Deus, viver na presença de Deus. Rebaixamos o cristianismo repleto de evangelho até o ponto de ser programado. Pessoas com dons e talentos e homens de personalidade forte tomaram conta do lugar sagrado, e esquecemos que estamos aqui para adorar a Deus. Deus é a fonte, o centro e o fundamento de tudo. Há um hino que diz:

> Como ousam os mortais pecadores
> Cantar tua glória ou tua graça?
> Sob teus pés nos prostramos
> E vemos apenas as sombras de teu rosto.[3]

Até nos cultos de nossa igreja podemos ver apenas as sombras do rosto de Deus, pois Deus transcende e eleva-se de tal forma acima de tudo que até os anjos no céu cobrem o rosto com um véu. E as criaturas vivas cobrem o rosto e clamam: "[...] Santo, santo, santo é o Senhor dos Exércitos [...]" (Isaías 6.2,3; v. tb. Apocalipse 4.8).

Como é terrível saber que, na presença desse Deus tremendo e espantoso, algumas pessoas não se comovem com tudo isso! Quão temível, quão sublime, quão espantoso isso é! Não queremos ouvir falar de Deus. Queremos ouvir falar de algo que desperte nossa imaginação, que possa satisfazer nossa curiosidade mórbida ou nosso anseio por romantismo.

---

[3] WATTS, **God Is the Name My Soul Adores**.

Mas o grande Deus está lá, e vamos ter de estar frente a frente com ele agora ou depois.

Esse Deus poderoso, como um imenso universo em chamas, se precipitará sobre nós um dia, derrubando nossas defesas e destruindo tudo o que colocamos ao nosso redor, e teremos de prestar contas a ele. No entanto, os homens em geral não estão nem um pouco preocupados com isso. Eles dormem bem à noite e pensam no trabalho que realizam durante o dia. Comem, dormem, vivem, alimentam-se, envelhecem e morrem, sem nunca ter tido um pensamento bom e elevado a respeito do Deus grandioso que transcende tudo.

Esse é o Deus a respeito de quem se diz:

"Teus, ó SENHOR,
    são a grandeza, o poder,
    a glória, a majestade e o esplendor,
pois tudo o que há
    nos céus e na terra é teu.
Teu, ó Senhor, é o reino;
    tu estás acima de tudo" (1Crônicas 29.11).

Ainda assim, nós lhe damos pouca, muito pouca atenção. Como é trágico saber que os homens seguem seus desejos e orgulho, vivendo por dinheiro, negócios, apetite e ambição!

Nenhuma outra prova necessita ser apresentada para a morte espiritual que se encontra no coração dos homens. "Mas a que vive para os prazeres", diz a Escritura, "ainda que esteja viva, está morta" (1Timóteo 5.6). E aquele que vive de ambição, desejo, apetite e orgulho, que vive por dinheiro e fama, está morto também. Mesmo que seja jovem, esbelto e de porte atlético, inteligente e próspero, está morto — e apodrecendo em sua morte. Ele é como um cego que não vê o nascer do sol, porque o Deus grandioso se eleva acima do horizonte de seu entendimento e ele não sabe que o sol nasceu. E, como um verme em uma caverna ou um sapo embaixo de uma pedra, ele passa a vida se esquecendo de que um dia terá de prestar contas a Deus — o grande Deus todo-poderoso!

Eu vivo em função daquele dia em que Deus virá sobre mim com todo o seu poder, passando por cima de toda a minha compreensão humana e de toda a defesa que eu possa ter construído. Isso pode acontecer neste instante, neste mundo. É mais ou menos parecido com a conversão — ser salvo, arrepender-se, ser perdoado de nosso pecado, ter uma visão de Deus no coração, ver Jesus Cristo em sua cruz e em seu trono, ser levado à presença desse Deus santo.

Você pode ter vivido a rotina inteira da igreja e não ter tido nenhuma experiência como essa. Pode aprender a dizer "Deus é amor" quando criança; pode ter uma Bíblia para passar de uma série para outra; pode ter idade suficiente para dar uma palestra na escola dominical, cantar no coral, ingressar na igreja e ser batizado. Pode ser professor de uma classe da escola dominical, acolher missionários e aprender o significado do dízimo, doando seu dinheiro para a obra do Senhor. Pode ser fiel e, ainda assim, nunca ter tido a experiência de sentir o grande Deus penetrar sua consciência, e viver sempre afastado de Deus.

No Antigo Testamento, quando retornou do exílio, Absalão passou dois anos inteiros sem ver o rosto do rei (v. 2Samuel 14.28). É o que acontece nas igrejas. Mas, quando Deus se torna real para nós, somos afetados; somos tocados por aquilo que se chama *mysterium tremendum* — tremendo mistério — isto é, Deus.

Li nesta semana que alguém disse: "Nunca li nada de Tozer. Ele é muito negativo". Bom, meu irmão, antes de haver cura, é preciso haver um diagnóstico. Quando você consulta um médico, ele não pode dizer com um sorriso, olhando por cima de uma xícara de café: "Tome o comprimido número nove". Pode ser que você não necessite do comprimido número nove; pode ser que ele o mate. Talvez você necessite de uma cirurgia.

Você tem o diagnóstico, embora eu pense às vezes que o diagnóstico é pior que a doença. Tenho tido mais problemas em descobrir o que está errado comigo (e às vezes descubro que está tudo bem) do que com o tratamento. Minhas pregações podem ser negativas, não sei. Se Deus — o Deus que está no alto, muito acima de nós, o Deus que posso amar e adorar e em cuja presença posso viver, orar e estar com ele para sempre — é negativo, quero receber um cesto repleto de negativos!

Ter medo de Deus

Uma coisa que ocorre conosco quando conhecemos Deus é o medo. As pessoas não gostam disso. Não querem ter medo de nada. Querem ir à igreja para se animarem — uma das maiores tolices que já ouvi na vida! Prefiro pregar para 25 pessoas no andar de cima de uma barbearia a pregar para uma igreja repleta de pessoas que contribuem financeiramente e me dão carona em uma limusine — mas não querem que eu as desconcerte ao falar de Deus.

A respeito de ter medo de Deus, lembre-se do que Jacó disse: "[...] Temível é este lugar! [...]" (Gênesis 28.17). E Pedro disse: "[...] Afasta-te de mim, Senhor, porque sou um homem pecador!" (Lucas 5.8). Ao longo dos anos, todas

A transcendência de Deus

as vezes que olhou para Deus, mesmo que de forma indistinta e rápida, o homem sentiu-se terrivelmente afetado. E o medo de que estou falando não é de perigo físico. Quando conhecemos Deus, passamos por cima dos perigos e medos deste mundo. Mas o medo desse Deus que nos aterroriza não é uma sensação de perigo. É a sensação de estar na presença de alguém muito temível, maravilhoso demais, transcendente e altamente elevado. É uma sensação de consciência da criatura. Foi o que Abraão expressou quando disse: "[...] Sei que já fui muito ousado a ponto de falar ao Senhor, eu que não passo de pó e cinza" (Gênesis 18.27).

Caso Abraão estivesse presente em algumas de nossas igrejas evangélicas e ouvisse alguém orar em voz alta, sem dúvida ficaria escandalizado com o que ouviu. E ele não era tão fluente quanto nós. Penso, às vezes, que a fluência deriva da educação, não de estar perto de Deus. Apenas repetimos o que aprendemos. Criticamos os católicos romanos por lerem orações escritas em livros, mas pelo menos o inglês que leem é bom; é fluente e belo. Nossas orações são tão conservadoras quanto aquelas, só que as incrementamos um pouco mais.

Essas orações são mortas porque não há nenhuma sensação de consciência da criatura. Não há nenhum sentimento que tenho na presença desse Deus grandioso diante do qual os anjos dobram as asas e fecham a boca e, quando a abrem de novo, proclamam: "Santo, santo, santo!". Essa sensação de consciência da criatura, essa sensação de humilhação, de sentir-se subjugado na presença daquele que está acima de todas as criaturas — deveríamos voltar a senti-la. Prefiro ter uma igreja de 25 pessoas a ter uma com 2.500 pessoas que lá estão como celebridades religiosas, reunindo-se socialmente em nome do Senhor.

Contaram-me que Martin Lloyd-Jones, um dos maiores pregadores ingleses, viaja de vez em quando ao País de Gales, onde se reúne com 12 ou 15 pessoas. Lá ele recarrega suas baterias antes de voltar ao grande púlpito de Londres onde prega para 1.500 pessoas ou mais. Contudo, ele gosta dessas viagens. E diz: "Depois que me encontro com aqueles adoradores sinceros por um pouco de tempo, sou um homem melhor. E volto para Londres mais bem preparado para pregar". Creio que é disso que necessitamos nesta hora.

Outra coisa que ocorre conosco quando conhecemos Deus é uma sensação de terrível ignorância. Existe uma seita em outro país (não vou mencionar o nome porque não quero fazer propaganda dela) que diz que podemos responder a qualquer pergunta que existe na Bíblia. E deparo com muita gente que pensa da mesma forma. Acho que foi Cícero quem disse que alguns homens preferem morrer a parecer que estão em dúvida a respeito de qualquer coisa. No entanto, quanto mais nos aproximamos de Deus, menos sabemos — e mais sabemos que não sabemos.

Estou preocupado com nossa irreverência nos dias atuais. A irreverência é um pecado terrível na presença de um Deus santo. Imagine se você e seus amigos estivessem na presença da rainha da Inglaterra e alguém começasse a fazer graça contando piadas sobre rainhas? Que vergonha, que coisa horrível seria! Ninguém faria tal coisa. No entanto, ela é apenas uma mulher, um ser humano como você. E muito mais terrível ainda é ser irreverente na presença do grande Deus, o Senhor de todos os senhores e Rei de todos os reis!

Necessitamos recuperar aquela sensação de ignorância. Sabemos demais. Deveria haver uma humildade muda entre nós na presença do Inexprimível Mistério.

Quando conhecemos Deus, temos também uma sensação de fraqueza. Penso que nunca seremos fortes enquanto não soubermos quão fracos somos. E nunca saberemos quão fracos somos enquanto não estivermos na presença daquela grande profusão de força, daquela grande plenitude de poder infinito que chamamos Deus. Quando, por um momento maravilhoso, tremendo, feliz e terrível, os olhos de nosso coração se voltarem para o Deus transcendente, elevado e sublime, com a aba de sua veste enchendo o templo, então saberemos quão fracos somos.

Deus nunca trabalha com a força humana. O homem mais forte é o homem mais fraco no Reino de Deus, e o mais fraco é o mais forte. O apóstolo consagrado disse: "[...] quando sou fraco, é que sou forte" (2Coríntios 12.10). Você pode virar a frase ao contrário e dizer: "Quando sou forte — sempre que sinto que posso fazer algo — é que sou fraco".

Tenho pregado desde os meus 19 anos de idade e hoje estou com 63. Ainda assim, depois de todos esses anos de pregação, subo ao púlpito tremendo por dentro — não por ter medo das pessoas, mas por ter medo de Deus. É o medo e o tremor de saber que me levanto para falar de Deus e que, se não falar corretamente a respeito dele, cometerei um erro terrível. Se eu falar mal de Deus, será um crime horroroso! Somente quando falo bem de Deus é que me atrevo a dormir à noite sem pedir perdão.

Fraqueza foi o que Daniel sentiu depois que Deus falou com ele: "Quando ele me disse isso, prostrei-me com o rosto em terra, sem conseguir falar. [...] Minhas forças se foram, e mal posso respirar" (10.15,17). Este é o efeito: autodepreciação e sensação de impureza. Isaías disse: "Ai de mim! Estou perdido!

Pois sou um homem de lábios impuros [...]" (6.5). É uma sensação de absoluta profanação.

Você poderá dizer: "Tenho de viver o tempo todo em um estado de medo, de ignorância, de fraqueza, de impureza?". Não. Mas você tem de chegar a essa conclusão a seu respeito, não ser convencido por outra pessoa. Cresci aprendendo que nasci em pecado. Diziam: "[...] Não há nenhum justo, nem um sequer" (Romanos 3.10); "[...] Todos os nossos atos de justiça são como trapo imundo. [...]" (Isaías 64.6). Acreditava nisso e, quando comecei a pregar, dizia aos outros: "Seus atos de justiça são como trapo imundo". Eu pensava que os trapos imundos deles eram mais imundos que os meus, que os pecados deles eram piores que os meus!

Você pode ser tão ortodoxo quanto João Calvino e acreditar na depravação total tanto quanto qualquer batista e, ainda assim, ser orgulhoso e hipócrita. Se você perguntasse a um fariseu: "Todos os homens são pecadores?", ele responderia: "Todos, menos nós!". E assim desprezavam o publicano e a meretriz. Jesus, porém, desprezou os fariseus, pois sabia que eles também eram pecadores. Os fariseus, que imaginavam nunca ter transgredido a Lei, eram tão pecadores quanto a meretriz que a transgredia todas as noites.

No entanto, existe alguém que nunca transgrediu a Lei? Não, eu não disse isso. Eu disse que os fariseus nunca transgrediram a Lei *conscientemente*. Se você chegar a um acordo com sua consciência, poderá aprender a olhar para si mesmo no espelho e ver algo melhor do que a figura que lá está.

O velho sábio Esopo, que escreveu tantas fábulas maravilhosas, contou que um homem estava caminhando com dois sacos amarrados em cima dos ombros, um na frente e o outro atrás. Os que passavam por ele perguntavam:

— O que há nesses sacos?

— Bom — ele dizia —, o detrás carrega meus erros e o da frente carrega os erros de meus vizinhos. — Ele carregava os erros dos vizinhos na frente, onde podia vê-los, mas carregava os deles atrás, onde não podia vê-los.

É assim que vivemos. Mas, tão logo somos conduzidos à presença de Deus em arrependimento verdadeiro, nunca mais pensamos que somos bons. Nunca mais pensamos que somos puros. Dizemos apenas: "Senhor, tu sabes — só isso". E, quando Deus nos diz: "Filho, você é puro?", podemos dizer apenas: "[...] o sangue de Jesus, seu Filho, nos purifica de todo pecado" (1João 1.7). Confiamos no que Deus disse, embora nos sintamos como se fôssemos os piores de todos os homens.

Madre Teresa, aquela querida mulher de Deus, disse que, quanto mais nos aproximamos de Deus, mais nos conscientizamos de como somos maus. Ah, o paradoxo, o mistério, a maravilha de saber que Deus — o Deus transcendente e tão acima de todos os outros que faz um abismo que ninguém pode transpor — se rebaixa a ponto de vir ao mundo e habitar entre nós. O Deus que se encontra do outro lado daquele imenso abismo veio à terra um dia e aceitou entrar no ventre da virgem, nasceu e viveu entre nós. O bebê que andava com passos hesitantes pela carpintaria de José, que brincava com as aparas de madeira atrapalhando o trabalho do pai, era o grande Deus infinitamente elevado e tão transcendente que os arcanjos o contemplavam, embevecidos. Lá ele estava!

Lembro-me de ter ouvido um cântico muitos, muitos anos atrás, que é uma antífona [cântico responsivo entre dois grupos de cantores]. Um homem, que representa o pecador, canta:

> Que caminho seguirei, grita a voz na noite,
> Sou um peregrino cansado e fraca é minha luz.
> Ando em busca de um palácio que brilha na colina,
> Mas entre nós há um rio majestoso e frio.

Ele prossegue perguntando: "Como atravessarei o abismo entre mim e o palácio que procuro, sabendo que sou tão fraco, e ele [Deus] tão forte; sou tão mau, e ele tão bom; sou tão ignorante, e ele tão sábio? Como posso atravessar o abismo?". Então, o outro homem levanta a voz e canta:

> Perto, perto de ti, meu filho, está a velha cruz
>   à beira do caminho,
> Como um franciscano encapuzado e coberto de musgo.
> E as vigas da cruz formam, ao longe, uma ponte,
> Para que o homem possa atravessar o rio.

Há um grande abismo entre mim e o Deus transcendente, que está em um lugar tão alto que não sou capaz de pensar nele, tão elevado que não sou capaz de falar dele, diante de quem devo me prostrar em temor, tremor e adoração. Não posso subir para chegar até ele; não posso voar em veículos feitos por homens para alcançá-lo. Não posso orar pedindo um caminho para subir até onde ele está. Há apenas um caminho: "Perto, perto de ti, meu filho, está a velha cruz". E a cruz forma uma ponte sobre o abismo que separa Deus do homem. Aquela cruz!

Deus é transcendente. Você nunca o encontrará por conta própria. Os muçulmanos podem procurá-lo durante mil anos

A transcendência de Deus

sem nunca o encontrar. Os hindus podem fazer cortes no corpo, deitar-se em camas de vidro e andar sobre o fogo sem nunca o encontrar. Os protestantes podem filiar-se a igrejas, lojas maçônicas e coisas afins sem nunca o encontrar. Os filósofos podem elevar seus pensamentos, um após o outro, sem nunca o encontrar. Os poetas podem fazer a imaginação voar alto sem nunca o encontrar.

Os músicos podem compor música celestial. Quando ouço o Oratório de Natal de Bach, penso que essa música nunca fez parte da terra. No entanto, posso ouvi-la e apreciá-la até ficar exausto sem nunca encontrar Deus — nunca, nunca o encontrar!

> Preciso seguir o caminho da cruz para ao lar chegar,
> Este é o caminho; não há outro.
> Jamais verei os portões da luz,
> Se errar o caminho da cruz.
> O caminho da cruz me conduz ao lar.[4]

Portanto, ofereço-lhe a cruz. Ofereço-lhe antes de tudo aquele Deus grandioso:

> Perdido estou em tua grandeza, Senhor!
> Vivo em um labirinto deslumbrante;
> Teu mar de luz natural
> Cega-me, mas ainda posso ver.[5]

---

[4] POUNDS, Jessie B. The Way of the Cross Leads Home, **Hymns of the Christian Life**, n. 514.
[5] FABER, The Eternal Father, **Christian Book of Mystical Verse**, p. 22.

Eu lhe mostro Deus, o Deus transcendente! E lhe mostro a cruz. Mas você só saberá o significado e o valor da cruz quando Deus, o Espírito Santo, realizar algo dentro de você para quebrantá-lo e destruir seu orgulho, humilhar sua obstinação, mudar sua mente que diz que você é bom, explodir suas defesas e levar embora suas armas. Ele fará com você o que os quacres chamam de "amansar" — fará você rebaixar-se, tornar-se manso.

E quanto a você? Pode estar salvo, meio salvo ou insatisfatoriamente salvo. Talvez soubesse que Deus o queria para si, mas você se afastou do caminho; acomodou-se aos seus negócios ou à sua escola, e agora Deus parece muito distante de você.

Em um sentido, ele está distante, mas, em outro, está tão perto quanto as batidas de seu coração, porque a cruz formou uma ponte sobre o abismo. Que o sangue de Jesus nos purifique de todos os pecados. Ele é o Deus, o Deus transcendente que diz:

> "Venham a mim, todos os que estão cansados e sobrecarregados, e eu darei descanso a vocês. Tomem sobre vocês o meu jugo e aprendam de mim, pois sou manso e humilde de coração, e vocês encontrarão descanso para as suas almas" (Mateus 11.28,29).

CAPÍTULO 3

A eternidade de Deus

> *Porque assim diz o Alto, o Sublime, que habita a eternidade, o qual tem o nome de Santo: Habito no alto e santo lugar, mas habito também com o contrito e abatido de espírito, para vivificar o espírito dos abatidos e vivificar o coração dos contritos.* (Isaías 57.15, ARA)

> *Senhor, tu és o nosso refúgio, sempre, de geração em geração. Antes de nascerem os montes e de criares a terra e o mundo, de eternidade a eternidade tu és Deus.* (Salmos 90.1,2)

Quero falar a respeito de algo em que todos acreditam, mas, em geral, sem ênfase e clareza suficientes para valer a pena falar disso. Se pudéssemos levar a igreja inteira a entender essa verdade e incentivar outros a pregar a respeito dela, isso elevaria substancialmente o nível espiritual da igreja. Quero falar sobre a eternidade de Deus.

No primeiro texto da Escritura citado acima, Deus diz que ele é "o Alto, o Sublime, que habita a eternidade". Eternidade é, claro, um substantivo; é o estado de ser eterno. Há quem diga que palavras bíblicas como "eternidade" e "para sempre" não significam "tempo sem fim" ou "durar para sempre", porque Deus se refere às "colinas eternas" em Gênesis 49.26. Dizem que lemos nessas palavras o conceito de eternidade e infinitude, que somente significam "até o fim da dispensação, até o fim dos tempos". (O verdadeiro motivo pelo qual os homens tomam essa atitude é porque as Escrituras dizem que o inferno é eterno — e eles não querem acreditar nisso!) Se eu pensasse que a palavra "eterno", referindo-se a Deus, significa apenas "durar até o fim dos tempos", fecharia minha Bíblia e iria para casa para aguardar o fim. E se eu tivesse um Deus que dura apenas um bom tempo, que não tem a eternidade no coração, possivelmente imaginaria que não valeria a pena pregar. Por que ser um cristão *pro tem* [temporário] e ter um Deus *pro tem*? Creio que Deus é eterno.

O Antigo Testamento hebraico se exauriu — torceu sua linguagem como se torce uma toalha, até tirar a última gota de seu significado — para dizer que Deus é para sempre e sempre sem fim, perpétuo, mundo sem fim. O grego do Novo Testamento fez o mesmo. Não há palavras na língua grega que possam ser usadas para significar "perpetuidade, sem fim, contínuo, indefinido e para sempre". Chegamos, então, à nossa língua, que tem o conceito de infinidade. E como podemos ter um conceito daquilo que não existe, um conceito maior que a realidade? É pura tolice, como qualquer um pode ver.

Não temos, portanto, outras palavras para usar. Eterno, interminável, para sempre, perpétuo, mundo sem fim — todas essas palavras significam exatamente o que dizem. Quando fala de si mesmo, é isto que Deus quer dizer: Alto e Sublime, que existe eternamente, para sempre, perpetuamente, mundo sem fim.

Quando chegamos ao segundo texto — "de eternidade a eternidade tu és Deus" —, o léxico hebraico diz que podemos traduzir essas palavras por "do ponto de fuga ao ponto de fuga", porque esse é seu real significado; do ponto de fuga do passado ao ponto de fuga do futuro. Mas de quem é o ponto de fuga? Não é de Deus, mas do homem. O homem retrocede até onde é capaz, até que o pensamento humano cai de exaustão e os olhos humanos não conseguem mais enxergar — até a perpetuidade, até o ponto de fuga do homem, mundo sem fim. Os outros significados da palavra são "inacessível" e "impensável". Do tempo inacessível ao tempo inacessível, tu és Deus. Do tempo impensável ao tempo impensável, tu és Deus.

Deus não depende de nada

Balance a cabeça para fazê-la funcionar e tente esticar sua mente ao máximo. Depois, pense, se puder, no passado. Pense em sua cidade natal fora da existência. Pense na época em que não havia nada aqui, a não ser índios. Retroceda e pense em todos aqueles índios e antes da chegada deles aqui. Volte um pouco mais e pense no continente norte-americano. Depois, pense em toda esta nossa terra. Retroceda ainda mais e pense que não havia planetas nem estrelas espalhados pelo céu noturno e claro; todos desapareceram, e não há nenhuma Via Láctea, nada de nada.

Vá até o trono de Deus e pense nos anjos, nos arcanjos, nos serafins e querubins que cantam e adoram diante do trono de Deus. Pense em todos eles até o ponto em que nada havia sido criado: nem um anjo bate as asas, nem um pássaro voa no céu — não há céu para se voar. Nenhuma árvore cresce em uma montanha, não há nenhuma montanha para a árvore crescer. Mas Deus vive sozinho e ama sozinho. O Ancião de Dias, mundo sem fim, até o ponto de fuga, tão longe quanto a mente humana pode ir — lá você encontrará Deus.

O grande Agostinho disse:

O que és, então, ó meu Deus? O que és, pergunto, senão o Senhor Deus? Pois quem é o Senhor senão o Senhor? Ou quem é Deus senão o nosso Deus? Altíssimo, excelente, poderosíssimo, onipotentíssimo, misericordiosíssimo e justíssimo; tão oculto e tão perto; formosíssimo e fortíssimo, estável e incompreensível; imutável, mas mudando todas as coisas; nunca novo e nunca velho; renovador de todas as coisas, mas conduzindo à ruína os soberbos sem que eles o saibam; sempre agindo, mas sempre em repouso; sempre angariando, mas nunca necessitado; sustentando, provendo e protegendo; [...] No entanto, ó meu Deus, minha vida, minha alegria santa, o que é que eu disse? E o que diz qualquer homem quando fala de ti? Mas ai dos que permanecem calados, vendo que mesmo eles que muito falam são como os mudos? [...]

Mas, dize-me, Senhor, tu que sempre vives, e em quem nada morre (porque existias antes que o mundo existisse, e antes de tudo o que pode ser chamado de "antes", e és Deus e Senhor de todas as tuas criaturas; e em ti se encontram as causas de tudo o que é instável, e em ti permanecem os princípios imutáveis de tudo o que se transforma, e as razões eternas de tudo o que é transitório e temporal) [...].[1]

Deus não depende do mundo que ele criou, de reis e presidentes, de empresários e pregadores, de presbíteros e diáconos. Deus não depende de nada. Retrocedemos nosso pensamento até o ponto em que não há nenhuma história — retrocedemos até Deus, o Deus eterno.

Deus não tem começo

Deus nunca principiou a ser. Quero que você considere em sua mente, apenas por alguns instantes, a palavra

---

[1] *Confessions*. Livro 1, cap. 4, parte 4; Livro 1, cap. 6, parte 9.

"princípio" e pense nela. "No princípio Deus criou os céus e a terra" (Gênesis 1.1), mas Deus nunca principiou a ser! "Principiar" é uma palavra que não se aplica absolutamente a Deus. Há muitos conceitos e ideias que não produzem nenhum efeito em Deus, como o conceito de princípio ou criação, quando Deus falou e as coisas começaram a ser. "No princípio Deus criou" — mas, antes do princípio, não havia nenhum "princípio"; não havia nenhum "antes"! Os antigos teólogos diziam que a eternidade é um círculo. Damos voltas e mais voltas no círculo, mas, antes que houvesse círculo, Deus existia!

Deus não principiou a ser — Deus era. Deus não se originou de nenhum lugar — Deus apenas é. E é bom ter isso em mente. O tempo, veja bem, é uma palavra relacionada a coisas criadas, porque tem a ver com as coisas que existem. Tem a ver com os anjos, com o lago de fogo, com os querubins e com todas as criaturas que estão ao redor do trono de Deus. Todos começaram a ser; houve um tempo em que não havia anjos. Então, Deus disse: "Haja", e os anjos começaram a existir.

No entanto, nunca houve um tempo em que Deus não existia! Ninguém disse: "Haja Deus"! Caso contrário, aquele que disse "Haja Deus" teria de ser Deus. E aquele a quem Deus disse "Haja" não seria Deus de forma alguma, mas um "deus" secundário com o qual não valeria a pena nos preocupar. Deus, lá no princípio, criou. Deus era, só isso!

Deus não está no tempo

O tempo não se aplica a Deus. C. S. Lewis ofereceu-nos uma ilustração que eu gostaria de repassar a você. Se conseguir, pense na eternidade, na infinitude, como uma folha de papel em branco que se estendesse em todas as direções até o infinito. Depois pense em um homem com um lápis na mão traçando uma linha de 2 centímetros de comprimento naquela folha de papel infinitamente extensa. E aquela linha pequena é o tempo. Começa e avança 2 centímetros e termina. Começa no papel e termina no papel. O tempo começou em Deus e terminará em Deus. E o tempo não causa nenhum efeito em Deus. Deus habita em uma eternidade.

> Nenhuma era pode acumular seus anos sobre ti:
> Amado Deus! És em ti mesmo a tua própria eternidade![2]

Você e eu somos criaturas de tempo e mudança. É no "agora", no "era", no "será", no "ontem", no "hoje" e no "amanhã" que vivemos. É por isso que sofremos de esgotamento nervoso, porque estamos sempre um passo adiante do relógio. Levantamo-nos de manhã, olhamos para o relógio e suspiramos desanimados. Corremos até o banheiro, escovamos os dentes, descemos a escada para tomar o desjejum, comemos um ovo quente e saímos apressados para pegar o ônibus. Isso é o tempo, veja — o tempo está atrás de nós! Mas o Deus todo-poderoso está sentado em seu agora eterno. E todo o tempo que foi é apenas uma marca minúscula no âmago infinitamente extenso da eternidade.

Deus não tem passado nem futuro

Deus não tem passado! Agora quero que você ouça isto. Quero que balance a cabeça com força, porque esta é uma

---

[2] FABER, The Eternity of God, **Christian Book of Mystical Verse**, p. 17.

ideia que os antigos pais da igreja conheciam, mas com a qual nós, seus filhos, aparentemente não nos preocupamos muito. Deus não tem passado. Você tem um passado; não é de fato muito longo, embora provavelmente você não gostaria que fosse tão longo. Mas Deus não tem passado nem futuro. Por que Deus não tem passado nem futuro? Porque passado e futuro são palavras de criaturas, e as criaturas têm a ver com o tempo. Têm a ver com a movimentação do tempo. Deus, porém, não está cavalgando no âmago do tempo. O tempo é uma pequena marca no âmago da eternidade. E Deus está acima do tempo, habitando na eternidade: "de eternidade a eternidade, tu és Deus".

É maravilhoso pensar que Deus já viveu todos os nossos amanhãs. Deus não tem nenhum ontem e nenhum amanhã. As Escrituras dizem: "Jesus Cristo é o mesmo, ontem, hoje e para sempre" (Hebreus 13.8), mas não é o ontem dele — é o ontem seu e meu. Jesus Cristo, o Senhor, é aquele que nasceu em Belém, na Judeia, que vive desde a eternidade. Ele não pode ter nenhum ontem e nenhum amanhã, porque ontem é tempo e amanhã é tempo, mas Deus circunda tudo isso e Deus já viveu o amanhã. O Deus grandioso que estava presente no início quando disse "Haja", e havia, está também presente agora no fim, quando os mundos estiverem em chamas e toda a criação for dissolvida e retornar ao caos — e somente Deus e seus santos redimidos permanecerão. Lembre-se de que Deus já viveu os nossos amanhãs.

Gostaria de saber se esse é o motivo pelo qual os homens podem profetizar. A capacidade de prever um evento com precisão que ocorrerá daqui a 3 mil anos — como isso pode ser?

Talvez um profeta no Espírito esteja no alto com Deus, vendo como Deus vê "o fim desde o início" (v. Isaías 46.10). Assim sendo, Deus, que está no alto, pega o fim desde o início e olha para baixo. E é lá que deveríamos estar — não aqui embaixo olhando para cima através das nuvens, mas no alto, olhando para baixo.

Às vezes, viajo de avião para ir de um lugar a outro. Assim que o avião ganha altura, o sol é tão forte que, se quisermos ler, precisamos fechar as cortinas para desviar os raios solares do livro. E abaixo vemos um grande tapete de nuvens espessas e achamos muito difícil entender como alguém que está lá embaixo possa dizer: "Ah, que dia nublado, triste e cinzento é este!". Onde estamos, não vemos um dia nublado, triste e cinzento. Estamos olhando acima dele.

Se insistirmos em ficar aqui olhando para cima, sempre vamos ver um céu triste — o Diabo vai cuidar disso! Mas, se lembrarmos que nossa vida está escondida com Cristo em Deus, olharemos para baixo, não para cima.

A Escritura diz em Salmos 90.12 que Deus é eterno, portanto precisamos aprender a "contar os nossos dias para que o nosso coração alcance sabedoria". Deus está em nosso hoje porque Deus estava em nosso ontem e estará em nosso amanhã. Deus é aquele de quem você não pode fugir. Você não pode fugir de Deus negando-o porque ele estará presente de qualquer forma. Não pode fugir dele redefinindo-o em uma coisa qualquer porque ele está presente de qualquer forma. Deus é! E, porque Deus é, Deus está aqui e agora. Deus habita no agora perpétuo e eterno.

Quando Deus falou com Abraão, Jacó e Isaías, ele já havia vivido na Nova Jerusalém, porque a Nova Jerusalém está no coração de Deus; todas as coisas que vão ser estão em Deus. Deus não está sujeito ao passar do tempo.

Cristo, o Filho eterno, é eterno. Quando você pensa em Jesus, tem de pensar duas vezes. Tem de pensar nele como humano e como Deus. Cristo disse muitas coisas que davam a entender que ele não era Deus. Disse outras coisas que davam a entender que ele não era humano. Cristo disse, por exemplo: "[...] antes de Abraão nascer, Eu Sou!" (João 8.58). Essas palavras dão a entender que ele existia antes da criação. Então, ele disse: "Por mim mesmo, nada posso fazer: eu julgo apenas conforme ouço [...]" (5.30), e essas palavras dão a entender que ele não era divino. Ele disse: "[...] o Pai é maior do que eu" (14.28), o que dá a entender que ele não era Deus. E ele disse: "Eu e o Pai somos um" (10.30), o que dá a entender que ele não era humano.

O fato, contudo, é que Cristo é ambas as coisas. Ele falou de si mesmo como divino e como humano. E, quando falou de si mesmo como humano, usou palavras humildes e modestas. Quando falou de si mesmo como divino, usou palavras que assustaram e chocaram as pessoas. Ele disse, ao falar das Escrituras inspiradas: "Vocês ouviram o que foi dito [...]. Mas eu digo a vocês [...]" (Mateus 5.21,22). Ele podia falar como Deus e falar como homem. Temos, então, de pensar no Filho do homem, o Senhor Jesus Cristo, de duas maneiras.

"Mas, quando chegou a plenitude do tempo, Deus enviou seu Filho, nascido de mulher, nascido debaixo da Lei" (Gálatas 4.4), que ele libertaria "aqueles que durante toda a vida estiveram escravizados pelo medo da morte" (Hebreus 2.15). Isso significa a condição humana de Cristo.

Então, ele foi "morto desde a criação do mundo" (Apocalipse 13.8). O que isso significa? Como ele pôde ser morto desde a criação do mundo? Quando Deus criou o céu e a terra e fez a grama crescer nas colinas e as árvores nos montes, quando Deus criou os pássaros para voarem e os peixes para nadarem no mar, em seu coração ele já havia vivido o Calvário, a ressurreição, a glória e a coroa. Portanto, ele foi morto antes da criação do mundo.

Às vezes, oramos a Deus como se Deus estivesse apavorado, como se Deus estivesse em grande aflição como nós. Pegamos o relógio e olhamos para ver as horas. Recuso-me a usar relógio de pulso; já basta ter o problema de carregar um relógio no bolso, onde é difícil de pegar para ver as horas. Mas, se eu ficar com os olhos grudados nessa peça angustiante e souber que o tempo está fugindo de mim, penso que entrarei em pânico. Mas Deus nunca entra em pânico, porque Deus nunca olha para o relógio. "Plenitude do tempo" foi o tempo em que Deus o ordenou; quando o momento chegou, Maria deu à luz um filho, e ele nasceu, viveu e morreu, "o justo pelos injustos, para conduzir-nos a Deus" (1Pedro 3.18). Consequentemente, o Filho eterno vive e sempre viveu. Aquele que nasceu na estrebaria em Belém não teve origem no ventre da virgem. O bebê humano teve, mas o Filho eterno não.

O tempo não para

Não quero ser melancólico, mas você pode muito bem enfrentar o fato de que

> O tempo, como um rio sempre em movimento,
> Carrega todos os seus filhos;

Eles voam, esquecidos como um sonho
Que morre no raiar do dia.[3]

"O tempo, como um rio sempre em movimento" leva muitas pessoas embora. Minha esposa e eu estávamos conversando sobre o assunto algum tempo atrás, e ela disse: "Parece que todas as vezes que recebemos uma carta da família é para comunicar a morte de alguém". Bom, é natural; temos de esperar por isso, você sabe. Todos vão morrer. "O tempo, como um rio sempre em movimento, carrega todos os seus filhos."

Lá na Califórnia há *redwoods*, ou sequoias. Eu queria saber qual é o tamanho dessa árvore. Sou um velho fazendeiro e não tenho uma trena para medi-la; costumo medi-la com passos. Eu marcava o local onde comecei a andar e circundava a árvore, abraçando-a o mais apertado possível. E, quando chegava ao ponto de partida, havia percorrido 130 metros. Pelos meus vagos cálculos de matemática, a árvore tinha a espessura de cerca de 4 metros. Essa é a sequoia! E cresce até atingir quase 800 metros — a altura de um edifício de 30 andares.

Quanto tempo demora para ela crescer tanto assim? Não sei, mas os cientistas dizem (não costumo citar nomes de cientistas porque eles mudam de ideia e deixam a gente em apuros) que algumas sequoias datam dos tempos de Abraão, talvez antes. Não as espécies, mas as próprias árvores. Quando Abraão saiu de Ur dos caldeus e seguiu, pela fé, até o Neguebe, onde finalmente se instalou na terra hoje conhecida

---

[3] WATTS, O God, Our Help in Ages Past, 4ª estrofe. **Church Service Hymns**, composto por H. Rodeheaver e G. W. Sanville. Winona Lake, IN: Rodeheaver Hall-Mack, 1948, n. 97.

como Palestina, as sequoias estavam crescendo na Califórnia — altaneiras, olhando para o Sol, alimentando-se por meio de suas raízes. As sequoias já estavam lá.

Quando os gregos conquistaram o mundo (não apenas militarmente — eles foram os grandes sábios de muitas eras) com seus excelentes pensamentos e peças divertidas, as sequoias estavam um pouco mais altas e continuavam a crescer. E, quando Roma assumiu o controle e se tornou o reino de ferro, dominou o mundo e seus soldados partiam para todos os lugares como vencedores ou determinados a vencer, as sequoias na costa da Califórnia haviam crescido um pouco mais. E, quando os ingleses saíram das florestas, pararam de comer bolotas de carvalho e começaram a lavar atrás das orelhas, a fazer higiene pessoal e parecer humanos, pois bem, as sequoias estavam um pouco mais altas que antes.

Muito tempo antes de Guilherme, o Conquistador, atravessar o canal e antes de Colombo navegar e descobrir um pequeno pedaço de terra à qual deu o nome de América, as sequoias estavam lá. E, quando George Washington atravessou o rio Delaware, muito antes que houvesse comunismo, fascismo e nazismo, e muito antes que houvesse aviões ou qualquer uma dessas coisas modernas, as sequoias cresciam lá, olhando do alto para uma geração após outra de homens.

De geração a geração, olhando do alto de seu agora eterno, está o Deus eterno, observando os pequenos grupos de homens vivendo, dormindo e morrendo, e outra geração surgindo.

Necessitamos de Deus

Lembre-se de que Deus é uma necessidade para você. Eu prego o evangelho de Jesus Cristo e digo: "Venham a mim, todos os que estão cansados e sobrecarregados, e eu darei descanso a vocês" (Mateus 11.28), citando as encantadoras palavras de Jesus que aqueciam meu coração quando eu era menino e me conduziram a ele. Quando cito essas palavras e quando cito as palavras do evangelho que dizem: "[...] para que todo o que nele crer não pereça, mas tenha a vida eterna" (João 3.16), estou fazendo um enorme favor a você, porque você necessita de Deus!

Somos escravos do tempo; encontramos nossa imortalidade em Deus e em nenhum outro lugar. Cantamos: "Ó Deus, nossa ajuda no passado". Que passado? O passado de Deus? Não, Deus vive no agora. Nosso tempo passa — a raça humana passa rapidamente. "Nossa esperança dos anos que hão de vir" — a esperança de anos que hão de vir é sua e minha. E que esse Deus "seja teu guia nesta vida e em nosso lar eterno".[4] Necessito de alguém que me guie. Não posso andar sozinho. Sou pequeno demais, fraco demais, tolo demais e vulnerável demais.

Os micróbios são tão minúsculos que não consigo vê-los entrar em meu nariz, descer pela traqueia e, como sabemos, alojar-se em meus pulmões. Eu contraio pneumonia e morro. É isto o que somos: pobres criaturas minúsculas. Você só encontrará a imortalidade e a eternidade em Deus — e só encontrará Deus por intermédio de Jesus Cristo, o Senhor. Não estou defendendo a causa de alguém que fracassou. Estou defendendo a causa de alguém que, sem dúvida, foi vitorioso e agora está sentado à direita de Deus na eternidade.

Certa vez, em visita ao museu, andei pela sala de peças da cultura egípcia, onde vi múmias. Algumas haviam sido

---

[4] Ibid.

selecionadas e desenfaixadas para serem exibidas — criaturas velhas, sem dentes e com o queixo encostado no nariz. Havia bebezinhos e uma criança, provavelmente de 7 anos de idade. Olhei para aquele menino mumificado e fui tomado por um grande sentimento de tristeza.

Passei de uma cripta a outra olhando para aqueles seres humanos mumificados. Alguns haviam sido reis, incidentalmente, mas agora estavam todos deitados, enrolados em sacos de aniagem, tão secos que, se recebessem um golpe de vento, seriam levados por ele. Pó! Pó! Pó! Vi olhos encovados, bochechas encovadas e braços com a pele endurecida como couro que haviam sido desenfaixados para a ocasião. Lá estavam eles — seres humanos que viveram antes que a Inglaterra existisse, antes que a Grécia existisse, antes que Roma existisse.

Andei pelo museu até me sentir deprimido. Sou uma pessoa sensível e facilmente influenciável e comecei a ficar cada vez mais deprimido, sentindo-me mais infeliz o tempo todo. Passava do meio-dia, e eu estava com fome. Havia um restaurante na sala ao lado da sala das múmias. Mas eu não teria conseguido comer nem que me oferecessem caviar e línguas de beija-flor. Estava angustiado — com o coração angustiado, o corpo angustiado, angustiado por pensar que homens feitos à imagem de Deus tinham de morrer e transformar-se em pó.

Quando saí de lá e dirigi-me para casa, estava mais deprimido que nunca. Levava comigo um livro de poemas escrito por um inglês chamado Thomas Campbell e li um deles, intitulado "O último homem". Acabara de ver homens mortos e agora estava lendo uma história fantasiosa escrita em forma de poema por um homem que acreditava em Jesus Cristo. Tratava-se de uma linda composição literária porque o autor era excelente, talvez o maior de todos os poetas.

A eternidade de Deus

O poema girava em torno de um sonho ou visão que ele teve ao ver a decadência da raça humana até o último homem. Continha pestes, fomes, guerras e toda sorte de coisas que reduziriam a raça humana até que restasse apenas um homem; os demais estavam mortos. Esse homem estava apoiado em seu cotovelo no alto de um promontório, contemplando o oceano ocidental ao pôr do sol. E ele sabia que aquele seria o último pôr do sol que veria, porque o chocalho da morte chegara. Com os olhos começando a ficar vidrados, ele ainda conseguiu pensar e falar um pouco. E, olhando firme para o sol poente, disse:

> Por ele lembrado para respirar,
> Quem cativo levou o cativeiro.
> Aquele que da sepultura saiu vitorioso,
> E destruiu o aguilhão da morte!

Depois de ter lembrado a si mesmo que havia alguém que ressurgiu dentre os mortos, destruiu o aguilhão da morte e da sepultura saiu vitorioso, o poeta dirigiu-se ao Sol e disse:

> Vai, Sol, enquanto a Misericórdia me sustenta
> No terrível desperdício da natureza,
> Para beber este último e amargo cálice
> De tristeza que o homem provará.
> Vai, conta à noite que esconde teu rosto
> Que viste o último descendente de Adão
> No torrão sepulcral da Terra.
> O Universo em trevas conspira
> Para extinguir a imortalidade de Cristo,
> Ou abalar sua confiança nele!

O poeta estava dizendo: "Sol, quando estiveres velho, tostado e reduzido a pó, eu ainda estarei vivo. Porque eu vivo naquele que como cativo levou o cativeiro, da sepultura saiu vitorioso e destruiu o aguilhão da morte". Bom, você sabe o que aquilo fez por mim? Levantou-me do lamaçal imundo e colocou-me (ao menos minhas emoções) sobre rocha firme.

Eu acabara de ver reis, rainhas, bebês e crianças todos enrolados em faixas, todos com 3 mil anos de idade. Pensei: *Ora, ora, é para lá que estou indo?* Li, então, o poema de Campbell e agradeci a Deus porque minha alma havia sido tirada do lamaçal. Voltei feliz para casa, lembrando que, seja o que for que aconteça com o corpo, seja ele enfaixado ou embalsamado, Jesus Cristo voltou a respirar como humano, destruiu o aguilhão da morte e tornou o homem vitorioso.

Você necessita de Deus, porque Deus é sua eternidade. Necessita de Deus, porque Deus é o seu amanhã. Necessita de Jesus Cristo, porque Jesus Cristo é o seu amanhã. Ele é a sua garantia daquilo que será. É a sua ressurreição e a sua vida. E, quando o Sol se incendiar e as estrelas se enrolarem como uma peça de roupa, Deus continuará a ser, porque Deus habita no agora eterno que nada poderá alcançar. E ele acolhe junto ao peito, no coração do agora eterno, os seus filhos que creem no seu Filho.

É por isso que acredito na comunhão dos santos. Creio que os santos que partem desta terra têm um único destino: o coração e o peito de Deus, para serem santos eternos, infinitos e perpétuos. E creio que todas essas ótimas palavras hebraicas, gregas e inglesas que se aplicam a Deus — eternidade, para sempre, perpetuidade e mundo sem fim — se aplicam a cada homem e a cada mulher que foram acolhidos por Deus. Vou me contentar com isso. E você?

Se alguém se aproximasse de mim e dissesse: "Vamos levá-lo para o céu, mas você só ficará lá durante vinte anos", a tristeza tomaria conta de mim. Que vantagem há em acostumar-se a um lugar como esse, aprender a amá-lo, mas ter de ir embora depois de vinte anos? Aceito, porém, para minha alma e para a alma de todos os filhos de Deus estas palavras maravilhosas: eterno, para sempre, perpetuidade, mundo sem fim. Aceito a eternidade dos santos.

Por que podemos crer em nossa imortalidade? Porque Deus é eterno. Essa é a base da doutrina da imortalidade. Se Deus não fosse eterno, não haveria imortalidade e nenhum futuro certo para qualquer pessoa. Seríamos apenas poeira cósmica que, de uma forma ou de outra, conseguiu transformar-se em seres humanos, árvores ou estrelas — e depois foi varrida de novo na imensidão e esquecimento. Mas, porque Deus é eterno, temos nosso lar em Deus. Podemos aguardar com tranquilidade o tempo que virá.

CAPÍTULO 4

A onipotência de Deus

Quando Abrão estava com noventa e nove anos de idade o Senhor lhe apareceu e disse: "Eu sou o Deus todo-poderoso [...]". (Gênesis 17.1)

Jesus olhou para eles e respondeu: "[...] para Deus todas as coisas são possíveis". (Mateus 19.26)

"Pois nada é impossível para Deus." (Lucas 1.37)

Então ouvi algo semelhante ao som de uma grande multidão, como o estrondo de muitas águas e fortes trovões, que bradava: "Aleluia!, pois reina o Senhor, o nosso Deus, o Todo-poderoso". (Apocalipse 19.6)

Do estojo de joias reluzentes contendo textos brilhantes sobre a onipotência de Deus — e há muitos —, escolhi quatro. A Abraão (na época seu nome era Abrão), Deus disse: "Eu sou o Deus todo-poderoso". Nosso Senhor Jesus disse positivamente: "Para Deus todas as coisas são possíveis". E o anjo que apareceu a Maria disse o mesmo na forma negativa: "Pois nada é impossível para Deus". Finalmente, ouvimos a voz da grande multidão: "Pois reina o Senhor, o nosso Deus, o Todo-poderoso".

Suponho que a primeira coisa a fazer seria definir a palavra "onipotência". Deriva de *omni*, que significa "tudo", e *potente*, que significa "ser capaz de fazer e ter poder".

Portanto, *onipotente* significa "capaz de fazer tudo e ter todo o poder". Significa ter todo o poder que existe.

Chegamos, então, à segunda palavra, "Todo-poderoso", que também se encontra em duas passagens da Escritura acima citadas. Ela tem o mesmo significado de onipotente, só que é traduzida do hebraico El-Shaddai, ao passo que onipotente deriva do latim. Na Bíblia, a palavra Todo-poderoso é usada mais de 50 vezes e refere-se unicamente a Deus. Na versão Almeida Revista e Atualizada, a palavra "onipotente" é usada apenas duas vezes[1] e, em ambas, refere-se a Deus. E há um motivo para isso. Todo-poderoso significa "ter plenitude de poder infinito e absoluto". Quando você usa as palavras "infinito" e "absoluto", pode apenas estar falando de uma pessoa — Deus.

Existe apenas um ser infinito, porque infinito significa sem limite. E é impossível haver dois seres sem limite no Universo. E, se existe apenas um, você está se referindo a Deus. Até a filosofia e a razão humana, por menos que eu pense nelas, têm de admitir isso.

Li uma crítica de um livro meu há alguns dias, escrita por um doutor em filosofia; ele era a favor do livro, mas não totalmente. Disse que eu era contra a cultura, o que não sou; sou apenas contra falastrões, só isso. Sou contra camaradas pretensiosos. Não sou contra intelectuais verdadeiros, como Agostinho, Paulo, Lutero ou Wesley. Mas sou contra homens que se imaginam intelectuais. Até a razão tem de ajoelhar-se e declarar que Deus é onipotente.

Se você pensa que não sabe nada, a não ser pela razão, não tem conhecimento. Se tem conhecimento pela revelação

---

[1] Em Salmos 91.1 e Ezequiel 1.24. [N. do T.]

A onipotência de Deus

— "homens [santos] falaram da parte de Deus, impelidos pelo Espírito Santo" (2Pedro 1.21) —, tem conhecimento. No entanto, uma vez que você tem conhecimento pela revelação, a razão é às vezes forçada a ajoelhar-se e dizer: "o Senhor Deus onipotente reina" e admitir que é verdade. Portanto, apresento-lhe rapidamente três proposições:

1. Deus tem poder

A primeira proposição é que Deus tem poder. É claro que todos sabem disso. Davi disse: "Uma vez Deus falou, duas vezes eu ouvi, que o poder pertence a Deus" (Salmos 62.11). E o homem Paulo, um dos maiores intelectuais que o mundo já conheceu, disse: "Pois desde a criação do mundo os atributos invisíveis de Deus, seu eterno poder e sua natureza divina, têm sido vistos claramente, sendo compreendidos por meio das coisas criadas [...]" (Romanos 1.20). Olhe para o céu estrelado e lá você verá o poder eterno de Deus. O poder de Deus e sua natureza divina são encontrados lá.

Cantávamos um hino que ainda é cantado em alguns lugares:

> O firmamento em sua amplidão
> Resplende em seu fulgor,
> E os céus, essa moldura brilhante,
> Ao grande Deus proclamam:
> O Sol incansável, dia após dia,
> O poder de seu Criador exibe,
> E publica ao mundo inteiro
> A obra das mãos do Todo-poderoso.
> Tão logo as sombras da noite caem,
> A Lua conta a história maravilhosa,

E todas as noites para a Terra ouvir
Repete a história de Seu nascimento:
Todas as estrelas ao redor reluzem,
E, enquanto giram, os planetas
Confirmam as boas-novas
E espalham a verdade de polo a polo.

E todos se regozijam ao ouvir a razão
E anunciam uma voz gloriosa.
Cantando eternamente enquanto brilham:
"A mão que nos fez é divina".[2]

Deus tem poder, e tudo o que ele tem é sem limite; portanto, Deus é onipotente. Deus é absoluto, e tudo que toca em Deus ou tudo em que Deus toca é absoluto; portanto, o poder de Deus é infinito; Deus é todo-poderoso.

2. Deus é a origem de todo o poder

A segunda proposição é que Deus é a origem de todo poder que existe. Não há nenhum poder em nenhum lugar que não tenha Deus como origem, seja o poder do intelecto, seja o do espírito e da alma, seja o da dinamite, da tempestade ou da atração magnética. Onde há poder absoluto, Deus é o autor. E a origem de qualquer coisa tem de ser maior do que aquilo que flui dela.

Se você despejar 1 litro de leite de uma lata, a lata tem de ser igual ou maior que 1 litro. A lata tem de ser tão grande ou maior do que seu conteúdo. A lata pode ser capaz de

---

[2] ADDISON, Joseph, The Spacious Firmament on High, **Church Service Hymns**, n. 9.

conter vários litros, embora você possa despejar apenas 1 litro. A origem tem de ser tão grande ou maior do que aquilo que sai dela. Dessa forma, se todo o poder que existe vem de Deus — *todo* o poder —, então o poder de Deus tem de ser igual ou maior do que todo o poder que existe.

3. Deus concede poder, mas continua a retê-lo

A terceira proposição é que Deus delega poder à sua criação, mas nunca abre mão de nada de sua perfeição essencial. Deus concede poder, mas não o concede totalmente. Quando Deus concede poder a um arcanjo, ele continua retendo aquele poder. Quando Deus, o Pai, concede poder ao Filho, ele mantém aquele poder. Quando Deus derrama poder sobre um homem, ele continua retendo aquele poder. Deus não abre mão de nada de si mesmo. Deus não abre mão de nenhuma parte de seu poder porque, se o fizesse, seria menos poderoso que antes. E, se fosse menos poderoso que antes, não seria perfeito, porque perfeição significa que ele tem todo o poder. Deus não pode "doar" seu poder.

A bateria tem apenas uma quantidade limitada de força ou energia e, se a força for gasta lentamente, a bateria ficará cada vez mais fraca. Você descobriu que, às vezes, em uma manhã fria, quando você entra no carro e gira a chave, ouve uma espécie de gemido desanimado, e o motor não funciona. Você confiava na bateria, mas ela falhou. Não tem mais força. A bateria perde a força aos poucos e torna-se mais fraca que antes. Mas, quando Deus concede força — aos anjos, arcanjos, homens redimidos, montanhas, mares, estrelas e planetas —, ele não abre mão de nada. Não se torna mais fraco que antes; as baterias de Deus não se descarregam.

Tudo procede de Deus e volta para ele. O grande Deus todo-poderoso, o Senhor Deus onipotente, reina. Ele tem hoje a mesma força que tinha quando fez o céu e a terra e criou as estrelas. Nunca terá menos poder do que tem agora, nem terá mais poder, porque todo o poder que existe é dele. Esse é o Deus a quem servimos!

Não posso, então, por mais que tente, encontrar um motivo no mundo para que alguém seja medroso e assustado e diga: "Estou com medo de não conseguir; tenho medo de que Deus não possa cuidar de mim". Deus pode cuidar das estrelas em seus trajetos e dos planetas em suas órbitas; Deus pode cuidar de toda essa imensa demonstração de poder em toda parte do Universo que criou. Certamente Deus pode cuidar de você!

É como uma mosca sentada em um avião, gemendo e tremendo de medo de que a aeronave não aguente seu peso. O avião pesa várias toneladas e carrega várias toneladas de pessoas e bagagens. A mosca é tão leve que é impossível pesar essa pequena criatura, a não ser em um laboratório. No entanto, podemos imaginá-la sentada ali, batendo as asinhas e dizendo: "Estou com medo de que este avião não aguente meu peso!".

O grande Deus todo-poderoso estica suas amplas asas e movimenta-se no vento. Deus cuidará de você. Cuidará de você caso se volte para ele! Deus o sustentará quando nada mais conseguir sustentá-lo; nada será capaz de destruir você.

Deus contém, perpetua e sustenta todas as coisas. Ele sustenta "todas as coisas por sua palavra poderosa" (Hebreus 1.3). É Deus quem sustenta todas as coisas juntas. Você já se perguntou por que não é esmagado com 6 quilos de pressão

A onipotência de Deus

atmosférica em cada centímetro quadrado de seu corpo? Já se perguntou por que não explode por causa da pressão interna? Porque o grande Deus todo-poderoso tem poder sobre o seu Universo e tudo funciona de acordo com esse poder.

Você pode estar pensando: É muito bom *dizer que Deus tem todo o poder sobre o Universo, mas e quanto às leis da natureza?* Bom, vamos analisar a expressão "leis da natureza". Afinal, o que é lei? A palavra tem ao menos dois significados.

O primeiro é "uma regra externa imposta por uma autoridade". Se você não concorda, estacione seu carro ao lado de um hidrante e saia apressado para cuidar de seus negócios. Na volta, vai ter de correr para retirar seu carro do pátio do órgão responsável pelo trânsito de sua cidade. Trata-se de uma lei imposta pelas autoridades, igual às leis contra assassinato, assalto e roubo. Gostaria de saber o que esse pessoal faz com todas as leis que são criadas pelo nosso Legislativo. Graças a Deus, não conhecemos nem um décimo delas, senão morreríamos de preocupação. Enfim, essas leis são impostas por uma autoridade. Você a cumpre ou não. E a parte do "ou então" significa multa, prisão ou coisa parecida. Esse é um tipo de lei.

No entanto, a palavra "lei" é usada em outro sentido: pelos cientistas, filósofos e pelo público em geral, mas não é propriamente uma lei. É o caminho que o poder e a sabedoria de Deus seguem no decorrer da criação. É o que chamamos de leis da natureza. É assim que as coisas são. A águia bota um ovo e choca-o para formar uma águia, não uma tartaruga ou uma rã. Chamamos isso de lei da natureza, mas ninguém a promulgou no parlamento ou no congresso. É assim que funciona. É fenômeno, não lei. É a forma pela qual o poder de

83

Deus domina sua criação. Deus move-se pelo Universo e tem liberdade para mover-se por toda a sua criação, e chamamos o caminho que ele segue de "leis da natureza". É assim que Deus trabalha! Os cientistas estudam esses fenômenos, e toda a ciência baseia-se neles, claro.

Há duas coisas que todos os cientistas sabem, e uma delas é a uniformidade desses fenômenos. E eles não mudam de um ano para o outro, de um século para o outro, de um milênio para o outro. São sempre os mesmos. Deus age sempre da mesma maneira o tempo todo. E esse é um dos motivos pelo qual posso dormir à noite: sirvo a um Deus que é sempre o mesmo e age de acordo consigo mesmo, sempre com uniformidade. Ele segue sempre o mesmo caminho pelo Universo. A capacidade resultante de prever esse caminho é o que os cientistas chamam de leis da natureza. É por isso que temos coisas como navegação e engenharia.

Ouvi falar de um marinheiro que foi encarregado de dirigir o navio e recebeu esta ordem do navegador:

— Mantenha aquela estrela lá longe um pouco afastada da proa de bombordo.

Algumas horas depois, ao ver que estavam fora da rota, o oficial disse ao marinheiro:

— Eu lhe disse para manter a estrela um pouco afastada da proa de bombordo!

— Ah, já faz tempo que passamos por aquela estrela — ele respondeu.

É claro que a história é engraçada só porque o navegador pode depender da estrela em um ponto fixo no espaço. Os atos de Deus são uniformes. Suponha que Deus fosse excêntrico e o Sol nascesse no leste na quarta-feira, mas na quinta-feira de manhã aparecesse no sul e no sábado, no norte. Diríamos: "O que aconteceu com o mundo? O mundo está embriagado? O Sol está nascendo e se pondo no lugar contrário ao que estamos acostumados a ver!". Mas não se preocupe. Deus não trabalha dessa maneira.

O grande Deus que fez o céu e a terra trabalha de acordo com "leis" ou fenômenos uniformes. Ele segue sempre o mesmo caminho ao longo do Universo. Você pode sempre prever onde Deus vai estar e sempre saber como Deus age. É por isso que a Palavra de Deus permanece segura. Quando você cumpre determinadas condições, pode estar sempre certo de que haverá determinados resultados porque Deus está sempre seguindo aquele caminho por meio da Bíblia dele, sempre seguindo a mesma estrada por meio das Escrituras — sempre! Deus nunca retrocede nem anda por outro caminho; segue sempre na mesma direção o tempo todo.

Quando faz uma promessa, Deus cumpre a promessa. Se a promessa estiver aqui e você estiver lá, será uma promessa morta, mas, se você estiver onde ela está, será uma promessa viva. Se Deus faz uma promessa e impõe condições a ela, e você não cumprir as condições, mas insistir em receber a promessa, nada acontecerá. Mas, se você cumprir as condições e for aonde Deus está, encontrará Deus exatamente lá o tempo todo. É assim que funciona! É por isso que você pode ter fé em Deus e saber, com toda a certeza, que Deus está presente.

A engenharia, a astronomia, a química, a navegação e outras áreas de estudo são possíveis apenas porque as "leis da natureza" — os fenômenos — são sempre previsíveis e uniformes. Há cientistas que estudam esses fenômenos e o chamam de "pura" ciência. Assim que os descobrem, não lhes interessa o que você faz com os fenômenos. Há também os que se baseiam na ciência aplicada; pegam o trabalho da ciência pura e a usam para fazer um motor de navio ou uma bomba que explodirá uma cidade. Não faz diferença ao cientista da "pura" ciência — isto é, objetivamente ele não deve importar-se. Está apenas descobrindo onde Deus se move pelo Universo. E nem sempre o chama de Deus — penso que geralmente não. Mas nós que somos filhos de Deus dizemos: "É assim que Deus trabalha. É assim que ele age em seu Universo".

A religião vai além da ciência, muito além, e diz: "Não estou desistindo das 'leis da natureza', o caminho de Deus pelo seu Universo material. Estou voltando para Deus, voltando para a origem de tudo, a causa de tudo, ao dono desses fenômenos". E então Cristo, mediante o Espírito Santo, nos aceita de volta.

Poderoso, mas pessoal

Precisamos lembrar, claro, que, quando pensamos nesse vasto *mysterium tremendum*, nessa maravilha misteriosa que enche este Universo, e em todas as outras palavras grandiosas que os filósofos usam para descrever o Deus todo-poderoso, ele é o mesmo Deus que se chama de "Eu Sou o que Sou" (Êxodo 3.14). E seu Filho ensinou-nos a chamá-lo de "Pai nosso, que estás nos céus" (Mateus 6.9). Um rei senta-se em um trono, mora em um palácio, usa coroa e manto e é chamado de "Sua Majestade". Mas, quando seus filhos pequenos o veem, correm até ele e gritam: "Papai!".

Lembro-me de quando a rainha Elizabeth era criança. Acompanhei sua vida desde a primeira infância. Certa vez, enquanto ela andava pelo palácio com seu respeitável e bondoso avô, George V, o rei deixou a porta aberta. A pequena Elizabeth virou-se para ele e disse: "Vovô, vá fechar aquela porta". E o grande rei da Inglaterra foi e fechou a porta a pedido de uma menina! Ele não podia impor o tratamento de "Sua Majestade" à pequena Elizabeth. Ela era sua neta.

Assim, sejam quais forem as palavras terríveis que os filósofos queiram atribuir ao poder que domina este Universo, você e eu podemos dizer: "Pai nosso, que estás nos céus! Santificado seja o teu nome" (v. 9). Podemos ter intimidade com Deus, e Deus ama isso.

O velho e respeitável rei sorriu e fechou a porta. O Deus todo-poderoso é assim também. Deus ama que seus filhos saibam que, apesar de sua grandeza, sua onipotência e seu poder, ele ainda disse: "Vocês, orem assim: 'Pai nosso, que estás nos céus!' ". Ele é o Pai do órfão, o marido da viúva e conhece todos os nossos problemas. Esse grande Deus poderoso que enche o céu e a terra "o susterá em seu leito de enfermidade" (Salmos 41.3). Quem é que arruma a cama, alisa o lençol, vira o travesseiro para mantê-lo fresco e lhe dá vida quando você está doente? É Deus, e você deveria saber disso. Ele é o Deus que deseja que o chamemos de "Pai nosso". E Deus fica feliz por ser chamado de Pai.

Deus colocou a Lua lá em cima e o Sol mais longe. Entre os dois, ele fez a Terra e enfeitou os céus com as estrelas. Deus fez tudo isso. Mas nós voltamos, atrás das "leis da natureza", atrás da ciência, atrás da matéria, nós voltamos para o próprio Deus. O cristianismo nos chama a conhecer o próprio Deus. "Esta é a vida eterna: que te conheçam, o único Deus verdadeiro, e a Jesus Cristo, a quem enviaste" (João 17.3). Você pode conhecer Deus! Salvação significa conhecer o próprio Deus.

Sou grande admirador de Beethoven. Não conheci Beethoven, mas conheço um pouco de suas obras. Teria sido muito melhor, imagino, conhecê-lo pessoalmente. Dizem que ele era um camarada de difícil convivência, mas era um gênio, muito acima dos gênios de várias gerações. Teria sido maravilhoso conhecê-lo. Hoje, enquanto jantávamos, ouvi uma linda sonata de Beethoven. Mas suponho que teria sido melhor ainda se eu pudesse trocar um aperto de mão com o grande Beethoven e dizer-lhe: "É uma honra apertar sua mão, senhor. Considero-o um dos maiores compositores que já existiram — um gênio!". Ele teria balançado a cabeça e se afastado. Mas eu contaria a meus filhos e netos que apertei a mão de Beethoven. Teria sido maravilhoso.

Teria sido o mesmo com Michelangelo, o maior artista de sua época. Apreciaria a oportunidade de apertar sua mão, almoçarmos juntos e conversar com ele! Talvez ele me chamasse pelo primeiro nome e eu fizesse o mesmo em relação a ele. Eu o apresentaria aos meus amigos e diria: "Tenho o prazer de apresentar-lhes o grande Michelangelo". Teria sido melhor que conhecer suas obras de arte. Já vi a estupenda escultura de Moisés, mas seria melhor ter conhecido o artista pessoalmente.

Assim, vamos deixar que os homens apontem os telescópios para os céus e os microscópios para as moléculas. Vamos deixar que examinem, sondem, classifiquem, deem nomes, encontrem e descubram. Atrevo-me a dizer-lhes: "Conheço aquele que fez tudo isso. Conheço-o pessoalmente".

Talvez eles respondam: "E quanto à galáxia da Via Láctea? Você não sabe o que é?". Sim, sei o que ela é — um grande aglomerado de estrelas tão distantes que somos capazes de ver um pouco embaçadas, como vemos as luzes de uma cidade distante. Conheço quem colocou a Via Láctea lá! Conheço quem colocou o oceano onde ele está e disse: "[...] Até aqui você pode vir, além deste ponto não [...]" (Jó 38.11). O oceano nunca se atreveu a ultrapassar suas margens.

Conhecemos Deus como ele é — Deus, Pai todo-poderoso, criador do céu e da terra, e Jesus Cristo, seu único Filho, nosso Senhor. É por isso que não consigo entender por que as igrejas evangélicas de nossa época não passam de um grupo de crianças brincando. Jesus diz que somos assim: "Vocês são como crianças brincando nas praças. Primeiro decidem brincar de funeral, e todos se reúnem e choram. Nós passamos por ali sem dar atenção a vocês, e vocês não gostam porque não choramos com vocês. Depois decidem brincar de dançar, portanto tocam uma melodia. Estamos atarefados e não damos atenção a vocês. Aí vocês ficam bravos porque não paramos para dançar com vocês. Somos adultos; somos pessoas sérias. Temos coisas para fazer e não podemos parar para brincar de igreja, de funeral, de dançar com vocês todas as vezes que querem". Foi o que Jesus disse, de fato, ao povo de sua época (v. Mateus 11.16,17).

Nos últimos cinquenta anos, as igrejas evangélicas pioraram progressivamente. Querem, mais e mais, como crianças nas praças, dançar em um dia, brincar de funeral no outro e brincar de igreja no dia seguinte. Recuso-me a brincar de igreja. Creio no grande Deus todo-poderoso que fez o Universo, que me chamou e a quem ouso chamar de meu. Ele dignou-se a dizer que somos aceitos no Amado (v. Efésios 1.6). Rebaixou-se para dizer que somos seus filhos.

Diziam que certo automóvel era "maior por dentro que por fora". Creio que todos os filhos de Deus devem ser infinitamente maiores por dentro que por fora. Penso que você e eu devemos viver nas alturas, bem longe. Outro dia, alguém me disse após o culto da noite que estava nas nuvens, explodindo de felicidade. Bom, é o lugar a que pertencemos! Nossos pés devem estar na terra; devemos ser comprometidos com a realidade terrena em nós. Mas não devemos viver aqui como se estivéssemos brincando no parque. Devemos buscar o poder de Deus e o sangue purificador do Cordeiro — conhecer o grande Deus todo-poderoso.

Há alguma coisa difícil demais para Deus?

O Deus todo-poderoso possui todo o poder que existe. O que isso significa para nós? Significa que, uma vez que Deus tem sempre a capacidade de fazer o que ele quer, então nada é mais difícil ou mais fácil para Deus. "Difícil" e "fácil" não se aplicam a Deus porque ele possui todo o poder que existe. Difícil ou fácil se aplicam a mim. Vamos supor que eu tenha 100 unidades de poder. Você me atribui uma tarefa que use 25 unidades e me sobrem 75. Não é uma tarefa difícil. Agora atribua-me uma tarefa que use 50 unidades e me deixe 50. Continuo capaz de realizá-la, mas não gosto disso. Atribua-me uma tarefa que use 75 unidades, e vou me esforçar. Atribua-me uma tarefa que use 95 unidades e me deixe apenas 5. Estou pronto para dormir e descansar.

Será que Deus está tão limitado a tantas unidades a ponto de usar todo o seu poder? Será que, depois de ter criado o mundo, Deus ficou exausto e disse: "Todo o meu poder foi consumido"? Que conversa tola é esta, como se alguma coisa pudesse deixar Deus exausto? Deus, que tem todo o poder que há, pode criar um sol, uma estrela e uma galáxia com a mesma facilidade que levanta um passarinho do ninho. Deus pode fazer todas as coisas com a mesma facilidade.

Essa verdade aplica-se especificamente à área de nossa descrença. Hesitamos em pedir a Deus que faça coisas "difíceis" porque imaginamos que Deus não conseguirá. Mas, se forem coisas "simples", pedimos a Deus que as faça. Se temos uma dor de cabeça, dizemos: "Oh, Deus, cura minha dor de cabeça". Mas, se temos um problema cardíaco, não pedimos cura ao Senhor, porque é "muito difícil" para ele! Que vergonha! Nada é difícil para Deus — nada. Absolutamente nada! Deus, com toda a sua sabedoria e poder, é capaz de fazer todas as coisas com a mesma facilidade.

Um homem contou-me certo dia que sofria de duas enfermidades, uma grave, possivelmente fatal, e outra simplesmente crônica. Oraram por ele pela cura. E — ora, isto pode ser tolice e até engraçado, mas foi o que aconteceu — ele me disse: "Sabe o que aconteceu? Fui curado da enfermidade grave, mas continuo com a outra". Ele não podia acreditar que Deus tinha o poder de curar a enfermidade crônica. "Oh, Deus, faz tanto tempo que sofro com esta enfermidade que nem tu podes curá-la." Não é assim que devemos olhar para Deus. Deus pode fazer qualquer coisa — qualquer coisa mesmo! Você poderá dizer: "Oh, se soubesses como minha vida está complicada!". Deus pode descomplicar sua vida da mesma forma que pode fazer qualquer outra coisa, porque ele tem todo o poder que existe e toda a sabedoria que existe.

Havia um pregador presbiteriano chamado Albert B. Simpson, um canadense da Ilha do Príncipe Eduardo. Ele foi um dos grandes oradores de sua época. O povo vinha de todos os lugares para ouvir a fala eloquente daquele homem.

Mas, quando tinha cerca de 35 anos de idade, ele começou a adoecer cada vez mais até chegar ao ponto de dizer: "Muitas vezes, fui chamado a realizar um ofício fúnebre e cambaleei na beira do túmulo enquanto falava, sem saber que eu mesmo iria cair no túmulo".

Finalmente, em profundo desânimo, ele decidiu abandonar o ministério, apesar de ser um ministro de grande sucesso. Mas um dia, ao fazer uma longa caminhada pela floresta, ele chegou a um acampamento onde havia uma reunião. Um quarteto evangélico composto de negros estava cantando uma música cujo coro era este:

> Para Jesus, nada é difícil demais,
> Trabalhar como ele, ninguém é capaz.

Bom, aquele pregador instruído e culto ajoelhou-se entre os pinheiros e disse: "Senhor, se nada é difícil demais para ti, então podes libertar-me; liberta-me agora, Senhor". Ajoelhado ali, entregou-se ao Senhor e foi liberto totalmente e no mesmo instante. Viveu mais trinta e seis anos e trabalhou tanto que chegava a envergonhar as pessoas ao seu redor. O grande Deus todo-poderoso fez algo por ele, entrou em sua vida e o transformou porque ele ousou acreditar. Você está vendo como os atributos de Deus não são uma teologia difícil demais para se alcançar e que somente os eruditos podem entender, mas que são verdades para você e para mim? Qual é a sua dificuldade? Ter uma esposa com a qual não consegue conviver ou um marido mau que a trata como um cão? Nada é difícil demais para Jesus. Ter um chefe que é tão áspero com você que você teme sofrer um colapso nervoso? Deus é capaz de "amansar" seu chefe.

A onipotência de Deus

Você tem um temperamento incontrolável? Deus tomará conta disso se você permitir. Não há nada com que Deus não seja capaz de lidar. Não há nenhuma situação que Deus não seja capaz de controlar. Nada é difícil demais para Jesus, e nenhum homem é capaz de agir como ele.

O poder de Jesus não exige esforço, porque esforço significa que estou gastando energia, mas, quando Deus trabalha, ele não gasta energia. Ele *é* energia! Com poder que não exige esforço, Deus realizou e está realizando sua obra redentora. Ficamos maravilhados e diminuímos o tom de voz ao falar de sua encarnação. Como foi que o grande Deus todo-poderoso pôde ser concebido no ventre de uma virgem? Não sei, mas sei que o grande Deus que é onipotente, o grande Deus todo-poderoso, pôde fazer isso porque foi da vontade dele. A encarnação foi fácil para Deus. Pode ser difícil entendermos — um mistério da divindade —, mas não é difícil para Deus.

E quanto à expiação? Jesus morreu em meio às trevas naquela cruz para salvar o mundo inteiro. Não tente entender — você não é capaz. Sei que o sangue de Jesus Cristo pode expiar o pecado da mesma forma que sei como é a natureza de Deus. Só sei isso. Só sei que sou reconciliado com Deus por meio do sangue do Cordeiro. É tudo o que sei, e isso me basta.

Sei também que Deus ressuscitou seu Filho dentre os mortos. Não sei como, mas sei que ele pôde fazer isso. E sei que Deus pode ressuscitar você dentre os mortos. Você já parou para pensar na ressurreição? Que coisa difícil de entender — todos aqueles que morreram gerações atrás. Como Deus vai encontrar todo aquele pó? Não sei.

No entanto, não preciso saber. Coloco minha mão na mão de Deus, e ele diz: "Venha comigo. Você será feliz, e eu cuidarei de tudo. Posso criar todas as coisas, posso mantê-las, posso tornar a encarnação uma realidade, posso tornar a expiação uma realidade e posso tornar a ressurreição uma realidade. E posso ressuscitá-lo". Portanto, não estou preocupado. Não posso visualizar minha ressurreição, mas posso crer nela! Amém!

O mesmo ocorre com o perdão, com a purificação do pecado e com o abandono dos maus hábitos. Aquele pecado feio que está sobre você há tanto tempo, que você odeia tanto. Faz tempo que ele está aí. Você gostaria de ser livre. Mas não tem coragem de crer. Faço-lhe um apelo. Ouse crer que o Senhor Deus onipotente vive e, com ele, nada será impossível. Ele possui todo o poder que existe. Sua necessidade não é nada quando comparada às coisas grandiosas que Deus tem feito. E, ainda assim, Deus perdoa seu pecado, purifica seu espírito e lhe dá a natureza dele, com a mesma facilidade que faz o céu e a terra, porque Deus é Deus!

Deus pode libertá-lo de seu temperamento, orgulho, medo, ódio e todas as outras enfermidades da alma. Basta confiar nele.

CAPÍTULO 5

A imutabilidade de Deus

"De fato, eu, o Senhor, não mudo [...]." (Malaquias 3.6)

Querendo mostrar de forma bem clara a natureza imutável do seu propósito para com os herdeiros da promessa, Deus o confirmou com juramento, para que, por meio de duas coisas imutáveis nas quais é impossível que Deus minta, sejamos firmemente encorajados, nós, que nos refugiamos nele para tomar posse da esperança a nós proposta. (Hebreus 6.17,18)

Toda boa dádiva e todo dom perfeito vêm do alto, descendo do Pai das luzes, que não muda como sombras inconstantes. (Tiago 1.17)

Jesus Cristo é o mesmo, ontem, hoje e para sempre. (Hebreus 13.8)

Anunciar que vamos falar da imutabilidade de Deus é quase como levantar uma placa com os dizeres: "Não haverá culto aqui esta noite!". Ninguém quer ouvir falar sobre esse assunto, suponho. Mas, quando ele é explicado, você descobre que encontrou ouro puro e diamantes, leite e mel.

Ora, a palavra "imutável" é, claro, antônimo de "mutável". E "mutável" deriva do latim e significa "sujeito a mudança". "Mutação" é uma palavra que usamos com frequência com o significado de "mudança de forma, natureza ou substância". "Imutabilidade", então, significa "não sujeito a mudança". Penso que entenderemos melhor o significado de mutável se observarmos o pequeno poema de [Percy Bysshe] Shelley, "A nuvem". Começa com a fala de uma nuvem que diz:

> Sou filha da terra e da água,
> Sou também o bebê do céu;
> Atravesso os poros do oceano e da costa;
> Eu mudo, mas não posso morrer.

Assim é a nuvem — é nuvem hoje, é chuva amanhã, é nevoeiro no dia seguinte. Depois volta a ser nuvem, neve no dia seguinte e gelo em seguida. É quente demais em um dia, mas no dia seguinte é fria. No dia seguinte, se vaporiza e volta a ser nuvem. Muda constantemente, atravessando "os poros do oceano e da costa". Muda porque é mutável. Mas não pode morrer.

No entanto, em Deus não existe nenhuma mutação possível. Como está escrito em Tiago: "[...] em quem não pode existir variação ou sombra de mudança" (1.17, ARA). E há aquele versículo em Malaquias: "De fato, eu, o Senhor [Jeová], não mudo [...]" (3.6).

Ambos não poderiam explicar de modo mais simples; não há um só traço de poesia, nenhuma figura de linguagem, nenhuma metáfora. É tão direto e prosaico quanto eu dizer: "Hoje é 12 de fevereiro de 1961. Ponto". Não há meios de "interpretar" o que eu disse. Você não recorre a um estudioso e pergunta: "O que isto significa?". Não é necessário. "Eu sou Jeová, eu não mudo!"

Incidentalmente, Deus é o único no Universo que pode dizer isso. E ele *disse*! Disse apenas que ele nunca muda, que não há mudança possível em Deus. Deus nunca difere dele próprio. Se você entender essas palavras, elas lhe serão uma âncora na tempestade, um refúgio no perigo. Não há possibilidade de mudança em Deus. E Deus nunca difere dele próprio.

Uma das dores mais terríveis que conhecemos na vida é como as pessoas mudam. Os homens sorriem para você um dia e, duas semanas depois, lhe viram o rosto. Faz cinco anos que você deixou de escrever a um amigo, a quem escrevia uma vez por semana, porque houve uma mudança. Ele mudou, você mudou, as circunstâncias mudaram.

E os bebezinhos? São pequeninos, macios e podemos erguê-los, mas mudam depois de algum tempo. Seus pais amorosos carregam essas criaturinhas tenras nos braços, admirando-as e amando-as até que esse amor se torne um sofrimento interno. Ficarão surpresos, confusos e de alguma forma satisfeitos quando, de repente, aquele corpinho rechonchudo começar a esticar-se e aqueles joelhos roliços e cheios de dobrinhas começarem a ficar ossudos. E aquela tendência de agarrar-se à mamãe desaparecerá. O sujeitinho vai colocar as mãos no quadril com petulância. Agora ele é *alguém*! E isso significa mudança.

Minha esposa e eu tiramos fotos da família de vez em quando e olhamos para elas. Como as crianças eram graciosas e tão encantadoras. Mas cresceram, encompridaram. Agora são magras, esguias, altas e bronzeadas — não são mais como eram. E, para piorar, daqui a quarenta anos não serão como são hoje. Há sempre mudança — mudança e decadência em tudo o que vemos. O poeta inglês disse:

Ó Senhor! Meu coração está abatido,
Abatido diante desta constante mudança;

E a vida passa tão rápido e mostra-se tediosa
Em uma corrida inquietante e variável.
A mudança em nada se assemelha a ti
E não encontra eco em tua muda eternidade.[1]

Somente Deus não muda. "E todas as coisas, conforme mudam, proclamam que o Senhor é eternamente o mesmo."[2] É um fato teológico. É algo que pode servir-lhe de base. É a verdade revelada — não necessita de nenhum apoio de poesia ou razão. Quando, porém, uma verdade é declarada e estabelecida, gosto de refletir nela. Citando Anselmo: "Não procuro entender para acreditar, mas acredito para entender".[3] Assim, eu gostaria de mostrar-lhe, da maneira mais breve possível, três motivos pelos quais Deus não pode mudar. Vamos raciocinar dentro das Escrituras.

Ora, para Deus alterar ou mudar por completo, ser diferente dele próprio, uma destas três coisas tem de ocorrer:

1. Deus tem de ir do melhor para pior, ou
2. Tem de ir do pior para melhor, ou
3. Tem de mudar de uma forma de ser para outra.

Isto é tão simples que qualquer um pode acompanhar: não há nada complicado. (De vez em quando, alguém diz que minha pregação está acima de sua cabeça. Só posso dizer que a cabeça dele está em uma posição muito baixa!) Não seria razoável

---

[1] FABER, The Eternity of God, **Christian Book of Mystical Verse**, p. 16.
[2] WESLEY, John. Psalm 114. **A Collection of Hymns, for the Use of the People Called Methodists**. London: Wesleyan Methodist BookRoom, 1889, n. 223.
[3] ANSELMO DE CANTUÁRIA, **Proslógio**, cap. 1.

assumir que, se tudo muda, a mudança tem de ser do melhor para pior, do pior para melhor ou de um tipo de coisa para outra? A maçã muda de cor na macieira — passa de verde para madura. Muda do pior para melhor. E, se um menino come uma maçã ainda verde, digo que ele vai ficar doente. Quando era criança, eu comia maçãs verdes uma ou duas vezes por ano na fazenda e ficava com dor de barriga. Quando a maçã amadurece, muda do pior para melhor, de acordo com nosso ponto de vista. Mas, se a deixarmos na macieira por muito tempo, ela vai mudar do melhor para pior. Vai apodrecer e cair, e piorar ainda mais do que já estava. Qualquer um pode entender isso. Se você não conseguir, balance a cabeça para acordar as células dentro de seu cérebro!

Dessa forma, se Deus tivesse de mudar, seria para melhor, para pior ou para coisa diferente. Mas Deus não pode mudar do melhor para pior, porque Deus é um Deus santo. Deus é santidade eterna, portanto nunca poderá ser menos santo do que é agora. E, claro, nunca será mais santo do que é agora, porque ele é perfeito do modo que é. Jamais haverá uma mudança em Deus — não há necessidade de nenhuma mudança!

A mudança é necessária nas coisas criadas, mas não há nenhuma necessidade de mudança em Deus, portanto Deus não muda. E Deus, por ser eterno e Deus santo, não pode mudar. Ele não muda do melhor para pior. Não podemos imaginar que Deus seja menos santo do que é agora, menos justo do que é agora. Deus permanece infinitamente santo, estável, imutável para sempre em santidade. Deus não pode mudar do pior para melhor pelo simples motivo de que Deus, por ser absolutamente santo, não pode ir além dele próprio.

Não pode ser mais santo do que é agora ou mudar de bom para melhor.

Você e eu, contudo, podemos. Graças a Deus! "[...] e continue o santo a santificar-se", está escrito em Apocalipse 22.11. E creio que, pelo fato de sermos criaturas e capazes de mudar para melhor em direção à imagem de Deus, seremos mais santos, mais sábios e melhores com o passar dos anos.

Mas lembre-se de que, ao nos tornarmos mais santos, melhores e mais sábios, estamos apenas buscando ser perfeitamente semelhantes a Deus, que já é onisciente, bom e santo. Deus não pode ser melhor do que é.

Estas palavras que você e eu usamos — mais santo, mais sábio, melhor — se aplicam a nós. Um homem pode ser bom, e outro pode ser melhor. Mas não podemos dizer "melhor" a respeito de Deus, porque Deus já é o ápice, a fonte, o melhor. Não há graduação para Deus. Há graduações para os anjos, suponho. Há certas graduações para pessoas também. Mas não há graduações para Deus.

É por isso que não podemos aplicar palavras como "maior" para Deus. Deus não pode ser "maior". Deus é o maior. "Maior" é uma palavra aplicada a criaturas que tentam ser semelhantes a Deus. Mas não podemos dizer que Deus pode ser "maior", porque o colocaríamos em uma posição na qual ele estaria competindo com alguém que é grande. Deus é simplesmente Deus.

Não podemos dizer que Deus é menos, que Deus é mais, que Deus é mais velho, que Deus é mais jovem. Não podemos dizer que Deus é mais velho porque o tempo está nas mãos dele. O tempo não lança nenhuma sombra em Deus e não é capaz de mudar Deus de forma alguma. Deus não vive de acordo com o tique-taque do relógio nem de acordo com o movimento da Terra em torno do Sol. Deus não leva em consideração os dias ou as estações do ano. Permite que façamos isso porque vivemos em função do tempo. O Sol que se põe ao anoitecer e surge de manhã e a Terra que gira 365 dias em torno do Sol sempre nos dizem onde estamos em relação ao tempo. Mas com Deus não é assim. Deus permanece eternamente o mesmo, absolutamente o mesmo.

Todas as palavras referentes a "direção" que aplicamos a nós mesmos — para trás, para baixo, para cima e todas as outras semelhantes — não se aplicam a Deus. Deus não pode ir "para trás", porque ele já está lá por ser onipresente. Não pode ir "para frente", porque já está lá. Deus não pode ir "para a direita" ou "para a esquerda", porque está em toda parte. "[...] os céus não podem contê-lo, nem mesmo os mais altos céus [...]" (2Crônicas 2.6). Não dizemos: "Deus veio de" ou "Deus vai para". Podemos usar essas palavras ao nos referir a Deus, mas não no sentido que aplicamos a nós mesmos. As palavras que indicam direção não dizem respeito a Deus.

Na segunda-feira, daqui a uma semana, vou a Chicago de avião e depois seguirei até Wichita em outro voo. Ao chegar lá, irei de carro até Newton, Kansas. Não sei ao certo sua localização. Vou pregar nessa cidade em um congresso bíblico. Estarei em algum lugar, estarei lá e depois seguirei para outro lugar. Mas Deus não muda de um lugar para outro porque ele preenche todos os lugares. E, se você estiver na Índia, Austrália, América do Sul, Califórnia ou em outro lugar qualquer ao redor do mundo ou mesmo em viagem ao espaço, Deus já está lá.

> Se eu subir aos céus, lá estás;
> se eu fizer a minha cama na sepultura,
> também lá estás.
> Se eu subir com as asas da alvorada
> e morar na extremidade do mar,
> mesmo ali a tua mão direita me guiará
> e me susterá. (Salmos 139.8-10)

Assim, estas palavras — maior, menor, para trás, para baixo, para cima — não se aplicam a Deus. O Deus eterno permanece imutável e inalterável — isto é, ele não muda. Deus não pode mudar de melhor para pior ou de pior para melhor. Há, no entanto, uma terceira forma de mudança. Uma criatura pode mudar de uma forma de ser para outra. Por exemplo, aquela linda borboleta que lhe causa espanto na primavera. Pois bem, um pouco antes, ela não passava de uma lagarta peluda e triste. Você não teria tocado nela. Mas agora diz: "Que linda!". Houve uma mudança nessa criatura.

As mudanças morais também podem ocorrer. Um homem bom pode mudar e vir a ser um homem mau. E, graças a Deus, um homem mau pode, pela graça de Deus, mudar e vir a ser um homem bom. Cantamos às vezes as músicas de John Newton. Você sabia que John Newton foi, como ele próprio confessou, um dos homens mais desprezíveis que já existiram? Sabia que John Bunyan [autor de *O peregrino*] foi, como ele próprio confessou, um dos homens mais desprezíveis que já existiram? Sabia que o apóstolo Paulo foi, segundo seu testemunho, o pior dos pecadores (v. 1Timóteo 1.15)? Mas esses homens tornaram-se santos de Deus.

Eles mudaram. É possível mudar. Deve ter havido uma época em sua vida que muito lhe aborrecia ouvir falar de toda essa conversa a respeito de Deus. Mas você mudou! Houve mutação. Graças a Deus, você não é imutável; é capaz de mudar. Você mudou de pior para melhor. Era uma criatura e passou a ser outra criatura. Mas não pense o mesmo a respeito de Deus. Deus não pode fazer isso, é impensável. O Deus perfeito, absoluto e infinito não pode ser nada mais além do que ele é.

No que se refere à doutrina da encarnação, não podemos dizer que Deus se tornou homem, no sentido de que Deus abandonou sua divindade e tornou-se humano. Jesus Cristo era Deus e homem, mas sua humanidade e divindade, embora misteriosamente fundidas, nunca interferiram uma na outra. O antigo *Credo de Atanásio* deixa isso muito claro. Diz que Deus se tornou homem, não pela degradação de sua divindade ao se tornar homem, mas pela elevação de sua humanidade a Deus.

Embora Cristo seja Deus e estivesse com o Pai antes de o mundo existir, quando Jesus nasceu da virgem Maria, ele assumiu um tabernáculo sobre si, mas sua divindade não se transformou em humanidade. A divindade de Jesus uniu-se à sua humanidade em uma pessoa para sempre. Mas Deus, o Deus eterno e incriado, nunca poderá ser criado. Aquilo que não é Deus não pode tornar-se Deus. E aquilo que é Deus não pode tornar-se naquilo que não é Deus. Deus pode vir e habitar intimamente em suas criaturas, mas você não se torna Deus quando Deus entra em sua natureza e o enche com sua presença. E Deus não pode tornar-se você. Isso é panteísmo. Deus é seu Pai, e você é filho dele; Deus habita em seu coração, e empiricamente você é Deus. Mas, na verdade e metafisicamente, você e Deus são dois seres.

Os budistas ensinam que, ao morrer, passamos para o nirvana, para o mar eterno de divindade, e deixamos de existir, como uma gota d'água no oceano. Não quero isso para mim! Se estivesse no leito de morte e um sacerdote me dissesse: "Irmão Tozer, você está prestes a morrer; sua personalidade deixará de existir, e você ficará perdido e derretido na vasta personalidade que é Deus", eu diria: "Não quero isso para mim! Vou continuar com minha personalidade enquanto puder, porque gosto de meus sonhos e lembranças, de meus pensamentos e de minha adoração, de minha felicidade. Gosto de ver, ouvir e sentir. Gosto de ser humano e de estar vivo; gosto de ter minha personalidade". Não quero jamais ser dissolvido em Deus e esquecido.

No entanto, nunca serei esquecido. Deus sempre me conservará como pessoa, capaz de lembrar, imaginar, pensar, tirar conclusões, capaz de adorar.

Sempre o mesmo

Deus é sempre o mesmo. Conforme o poeta Faber escreveu:

> Teu próprio Ser preenchido para sempre
> Com a chama que sozinha se acende,
> Em Ti mesmo estás destilando
> Unções sem nome!
> Sem a adoração das criaturas,
> Sem ocultares a Tua face,
> Deus é sempre o mesmo![4]

---

[4] FABER, Majesty Divine!, **Christian Book of Mystical Verse**, p. 7.

A imutabilidade de Deus

Quando digo que Deus é sempre o mesmo, estou falando das três pessoas da Trindade. Lembre-se de que o *Credo de Atanásio* diz:

> Como o Pai é, tal é o Filho, tal é o Espírito Santo.
> O Pai incriado, o Filho incriado, e o Espírito Santo incriado.
> O Pai incompreensível, o Filho incompreensível, e o Espírito Santo incompreensível.
> O Pai eterno, o Filho eterno, e o Espírito Santo eterno.
> No entanto, não três eternos, mas um eterno.
> Porque também não há três incriados nem três incompreensíveis, mas um incriado e um incompreensível.

Você pode examinar a série de atributos de Deus e o que você diz sobre o Pai é o mesmo que pode dizer sobre o Filho, sem modificação. O que você diz sobre o Pai e o Filho pode dizer sobre o Espírito Santo, sem modificação, porque há uma substância unida para ser adorada e glorificada. Portanto, quando dizemos que Deus é o mesmo, estamos dizendo que Jesus Cristo é o mesmo e o Espírito Santo é o mesmo. Tudo o que Deus sempre foi, Deus continua a ser. Tudo o que Deus foi e é, Deus sempre será. A lembrança disso lhe será útil na hora da provação. Será útil saber na ocasião da morte, na ressurreição e no mundo por vir que tudo o que Deus sempre foi, Deus continua a ser. Tudo o que Deus foi e é, Deus sempre será. Sua natureza e atributos são eternamente imutáveis. Tenho pregado sobre a individualidade incriada de Deus; nunca a mudarei nem a editarei. Quando revejo alguns de meus antigos sermões e artigos, eu me pergunto por que os escrevi daquela maneira. Poderia melhorá-los. Mas não posso melhorar a declaração de que Deus é sempre o mesmo — ele

105

é autossuficiente, autoexistente, eterno, onipresente e mutável. Não haveria nenhuma razão para mudar isso porque Deus não muda. Sua natureza e seus atributos são eternamente imutáveis. O que Deus sentiu sobre algo, ele continua a sentir. O que ele pensou sobre alguém, continua a pensar. O que ele aprovou, continua a aprovar. O que ele condenou, continua a condenar. Hoje temos um conceito ao qual dão o nome de relativismo moral. "Você não deve ser muito rígido com as pessoas", dizem. "Afinal, certo e errado são palavras relativas. O que é certo em Timbuktu pode ser errado em Nova York. E o que é errado em Nova York pode ser completamente certo em Buenos Aires." Mas lembre-se: Deus nunca muda. Santidade e justiça estão em conformidade com a vontade de Deus. E a vontade de Deus nunca muda para as criaturas virtuosas.

Deus deseja que as criaturas virtuosas sejam sempre semelhantes a ele — justas, santas, puras, verdadeiras — sempre, para sempre e sempre. No entanto, às vezes Deus "não levou em conta" o pecado nos tempos antigos (Atos 17.30) porque os homens eram ignorantes e o plano de salvação ainda não havia sido revelado. Deus também tolera algumas coisas em nós hoje, porque ainda somos crianças e não sabemos nem podemos entender seus propósitos eternos para nós. Ele não desculpa essas coisas. Está simplesmente nos tolerando com paciência até entendermos a verdade. Mas Deus sempre odeia o pecado.

Se você quer saber como Deus é, leia a história de Jesus Cristo. "[...] Quem me vê, vê o Pai [...]" (João 14.9). O que Jesus sente sobre qualquer coisa, Deus sente o mesmo. Quando Jesus pegou um bebê e colocou as mãos na

A imutabilidade de Deus

cabecinha dele para abençoá-lo, é assim que Deus sente em relação aos bebês. Mas, quando levaram as crianças até Jesus, os discípulos disseram: "Tirem estas crianças daqui! Esta é uma escola de teologia, vocês não sabiam? Estamos ocupados falando sobre teologia. Levem embora estes bebês!". "Então disse Jesus: 'Deixem vir a mim as crianças e não as impeçam; pois o Reino dos céus pertence aos que são semelhantes a elas'" (Mateus 19.14).

Em Chicago, havia uma escola dominical frequentada por imigrantes italianos. Uma garotinha havia memorizado esse versículo. Ela morava na rua, e sua linguagem não era das melhores. Certo domingo, pediram-lhe que citasse a passagem que aprendera no domingo anterior, e ela disse: "Deixem as criancinhas chegarem perto de mim e não digam a elas que não podem, porque elas são minhas". Ela respondeu certo, embora não tenha citado a versão King James!

O Senhor ama os pequeninos — e continua a amá-los. Ele ainda pensa o mesmo que pensava a respeito da prostituta arrependida. Ainda pensa o mesmo que pensava a respeito do homem de coração terno que buscava a vida eterna. Ele não mudou, não muda e não pode mudar.

Vivemos no meio de um mundo que muda o tempo todo. E, quanto a mim, estou feliz porque o tempo muda. Estou feliz porque ele muda. E você? Ficamos felizes quando o boletim climático diz que a temperatura vai esquentar um pouco — a menos que seja verão e não queiramos ouvir isso! No mundo da natureza, é desnecessário dizer como a semente produz uma planta, como uma planta produz uma flor, como uma flor produz uma semente e assim por diante, em um ciclo eterno. As coisas mudam!

Deus permite que as coisas mudem para poder definir o que não pode mudar. O livro de Hebreus baseia-se nessa tese. O altar mudou de altar temporário para altar eterno; o sacerdócio mudou de sacerdócio temporário de Arão para sacerdócio eterno de Cristo; o tabernáculo mudou de tabernáculo temporário em Jerusalém para tabernáculo eterno nos céus; o sacrifício de sangue mudou do sangue que era derramado repetidas vezes para o sangue que foi derramado uma só vez e para sempre e não necessita ser repetido. As coisas mudaram até se tornarem perfeitas e não mudaram mais. "E todas as coisas, conforme mudam, proclamam que o Senhor é eternamente o mesmo."

Ora, o que tudo isso significa para você e para mim? Significa que meu pobre eu, indefeso e dependente, encontra um lar em Deus. Deus é o nosso lar! Aguardo ansiosamente não tanto quanto ter o céu como meu lar, mas como ter Deus como meu lar, em seu céu e na eternidade de Deus. Nós, pobres vítimas do momento que passa, encontramos aquele que é Eterno. Quando prego, observo que algumas pessoas olham para o relógio. Somos vítimas do tempo — contamos nossa pulsação, eliminamos a página do calendário que nos diz que mais um mês se passou.

No entanto, há alguém que contém o tempo em seu peito: o Eterno, que deixou a eternidade e entrou no tempo, no ventre da virgem Maria, morreu, ressuscitou e vive à direita de Deus por nós. Ele nos convida a nos aconchegarmos a seu peito, onde o tempo não existe mais. E, em vez de envelhecer, permanecemos jovens em Jesus Cristo. Vocês conhecem aquele cântico: "Descansa, meu coração que há longo tempo está dividido; firma-te neste centro jubiloso, descansa!".[5] O que ele queria dizer? "Se uma casa estiver dividida contra si mesma, também não poderá subsistir" (Marcos 3.25), disse o nosso Senhor. Haverá confusão, revolução e tumulto até o dia em que encontrarmos descanso em Cristo. O que é esse centro jubiloso? Não é outro senão o Filho de Deus que se fez carne, foi crucificado e ressuscitou. E ele nos convida a descansar em seu peito. Em um sentido real, ninguém conhece o descanso da mente e do coração enquanto não o encontra em Jesus Cristo, nosso Senhor. "Deus nos fez para ele próprio e só encontraremos descanso nele", disse Agostinho. Um antigo hino que cantávamos diz:

> Vinde, pecadores, Àquele que vive,
> Ele é exatamente o mesmo Jesus
> Que o filho da viúva ressuscitou,
> Sempre o mesmo Jesus.
>
> Vinde, festejai com o "pão vivo".
> Ele é exatamente o mesmo Jesus
> Que as multidões alimentou,
> Sempre o mesmo Jesus.
>
> Vinde, contai a ele suas dores e medos,
> Ele é exatamente o mesmo Jesus
> Que derramou aquelas lágrimas de amor,
> Sempre o mesmo Jesus.
>
> Calma em meio a ondas de angústia,
> Ele é exatamente o mesmo Jesus

---

[5] DODDRIDGE, Philip. O Happy Day, That Fixed My Choice. **Hymns of the Christian Life**, n. 422.

Que um dia acalmou o mar revolto,
Sempre o mesmo Jesus.[6]

Você descobrirá que ele é o mesmo, ontem, hoje e para sempre. Ele não retrocedeu na história. É o mesmo hoje como o era antes de partir. É o mesmo Jesus Cristo, o Senhor. E, se você recorrer a ele agora, como fez Maria, como fez o moço rico, como fez Jairo e muitos outros, ele o preencherá. Os nossos olhos não o veem, mas "eu estarei sempre com vocês, até o fim dos tempos" (Mateus 28.20).

Se você recorrer a ele em busca de uma luz mais clara, descobrirá que ele é o mesmo Jesus que devolveu a visão ao cego — exatamente o mesmo Jesus. Ele o alimentará como alimentou a multidão. Ele o acalmará como acalmou o mar. Ele o abençoará como abençoou as crianças. Ele o perdoará como perdoou a mulher que caiu aos seus pés, envergonhada. Ele lhe dará vida eterna como deu vida eterna a seu povo. Ele o lavará como lavou os pés dos discípulos, tanto tempo atrás. Ele é o mesmo. O Deus que anunciamos é o mesmo Deus, imutável e inalterável, para sempre e sempre.

Recomendo Jesus Cristo, o imutável, a você. Recomendo a você a resposta de Deus às suas indagações, a solução de Deus para seus problemas, a vida de Deus para sua alma em agonia, a purificação de Deus para seu espírito amaldiçoado pelo pecado, o descanso de Deus para sua mente desassossegada e a ressurreição de Deus para seu corpo agonizante. Recomendo Jesus Cristo para ser seu advogado. Você descobrirá que ele é tudo o que sempre foi — exatamente o mesmo Jesus.

[6] EDMUNDS, L. H. The Very Same Jesus, **Hymns of the Christian Life**, 5. ed., n. 437, 1936.

CAPÍTULO 6

A onisciência de Deus

[...] *é impossível medir o seu entendimento.* (Salmos 147.5)

Nada, em toda a criação, está oculto aos olhos de Deus. Tudo está descoberto e exposto diante dos olhos daquele a quem havemos de prestar contas. (Hebreus 4.13)

Esses textos dizem que o entendimento de Deus é ilimitado, que seu conhecimento é perfeito e que não há nenhuma criatura em nenhum lugar do Universo que não seja claramente vista por ele. Não há nada oculto aos olhos de Deus. É o que chamamos de onisciência divina, um dos atributos de Deus. Atributo, conforme eu já mencionei, é algo que Deus declarou ser verdadeiro a respeito dele.

Deus declarou pela revelação divina que é onisciente, que não há nada que ele não saiba. A mente humana desconcerta-se diante dessa verdade quando consideramos que há muitas coisas para saber e que sabemos muito pouco. Ralph Waldo Emerson disse, por exemplo, que, se um homem começasse a ler os livros da Biblioteca Britânica no dia em que nasceu e lesse dia e noite durante setenta anos, sem parar para comer ou dormir, ele só seria capaz de ler uma pequena parte dos livros daquela coleção.

Mesmo aqueles que sabem muito, sabem muito pouco. O dr. Samuel Johnson, o grande lexicólogo inglês, era considerado o homem mais culto da Inglaterra. Quando estava compilando o primeiro dicionário inglês, ele definiu a palavra "jarrete" (a parte da perna do cavalo atrás do joelho) como joelho do cavalo (a junta na frente da perna do cavalo). Depois de algum tempo, durante uma festa, uma dama da sociedade virou-se para o ilustre doutor, pensando que poderia irritá-lo.

— Dr. Johnson, por que o senhor definiu a palavra "jarrete" como joelho do cavalo? — ela perguntou.

— Por ignorância, senhora, pura ignorância — ele respondeu.

Apesar de ser o homem mais culto de toda a Inglaterra, ele admitiu ser ignorante a respeito de certas coisas. Will Rogers disse: "Todo mundo é ignorante — só que em assuntos diferentes".[1] E, quando se trata de conhecimento, sinto-me desanimado quando vou a uma biblioteca. Saio sentindo que não sei absolutamente nada — o que, se a verdade fosse declarada, se aproxima muito mais da realidade do que eu gostaria de admitir!

Quando recebi um dos títulos de *honoris causa* que me foram concedidos, eu disse: "A única sabedoria que existe em mim é este par de óculos". Se um homem penteia o cabelo para trás e usa um par de óculos de aparência erudita, é chamado de doutor. Realmente, não sabemos muito, e, quando pensamos no Deus grandioso que sabe com perfeição tudo o que se deve saber, ficamos desconcertados. O peso da verdade é grande demais para nossa mente.

Quando *sir* Isaac Newton, o grande cientista inglês, já tinha uma idade avançada, alguém lhe disse:

---

[1] CORY, Lloyd (Comp.). In: **Quote, Unquote**. Wheaton, IL: Victor Books, 1977. p. 161.

A onisciência de Deus

— Dr. Newton, o senhor deve possuir uma bagagem enorme de conhecimento.

— Comparo-me a um garotinho andando pela praia e pegando conchinhas — ele respondeu. — O menino tem um punhado de conchinhas na mão, mas tudo ao redor dele é um mar imenso estendendo-se em todas as direções, até onde a vista consegue alcançar. Tudo o que sei não passa de um punhado de conchinhas, mas o vasto Universo de Deus está repleto de conhecimento que não possuo.

Quando falamos do conhecimento infinito de Deus, estamos falando de uma abordagem racional de Deus. Há duas maneiras de abordarmos Deus: de modo teológico e de modo experimental. Você pode conhecer Deus por experiência e não conhecer muita teologia, mas é bom ter conhecimento dos dois. Quanto mais você conhece a Deus teologicamente, melhor o conhece experimentalmente.

Uma abordagem racional de Deus é tudo o que minha mente é capaz de conter. Na verdade, sua mente não pode conter muita coisa. E o que minha mente pode conter a respeito de Deus não é muita coisa. Mas esta é uma forma de abordar Deus — por meio da teologia, por meio de seu intelecto, por meio da doutrina. Mas o propósito da doutrina é conduzi-lo para que você veja e conheça Deus experimentalmente, conheça Deus em relação a ele próprio, conheça Deus para você mesmo. Mas, enquanto não conhecermos Deus teologicamente, não temos probabilidade de conhecer Deus muito bem e experimentalmente.

A razão pensa melhor em Deus negativamente. Em outras palavras, como os antigos e místicos compositores devocionais diziam, entendemos Deus com mais

113

profundidade se entendermos o que ele não é. Podemos sempre saber o que Deus não é, mas nunca poderemos saber exatamente o que Deus é. A grandeza da mente de Deus deixa para trás todos os nossos elevados pensamentos. Deus é inefável (incapaz de ser expresso em palavras), inconcebível e inimaginável.

O que significa *inimaginável*? Significa apenas que você não pode imaginar como Deus é. Ouvi falar de um homem que se ajoelhava diante de uma cadeira e dizia: "Jesus, sente-se na cadeira". E então imaginava Jesus sentado na cadeira. Eu nunca me importei com esse tipo de coisa. Também nunca me interessei muito por pinturas religiosas. Fico horrorizado quando vejo a pintura de Michelangelo sobre a Criação. O Deus todo-poderoso é retratado como um homem velho e calvo, deitado sobre uma nuvem, apontando seu dedo abrasador para Adão e dando-lhe vida. Você é capaz de imaginar Deus como um homem calvo? Penso que o artista nos teria feito um enorme favor se houvesse abandonado reverentemente os seus pincéis e nunca tivesse tentado pintar a figura de Deus.

Não sabemos como Deus é. Se você pudesse imaginar Deus como ele é, ele não seria Deus. Se você pudesse imaginar, Deus seria um ídolo produzido por sua imaginação. Se não acredita no que estou dizendo, leia o que o Espírito Santo disse em 1Coríntios 2.7-11:

> Ao contrário, falamos da sabedoria de Deus, do mistério que estava oculto, o qual Deus preordenou, antes do princípio das eras, para a nossa glória. Nenhum dos poderosos desta era o entendeu, pois, se o tivessem entendido, não teriam crucificado o Senhor da glória. Todavia, como está escrito:

"Olho nenhum viu,
   ouvido nenhum ouviu,
   mente nenhuma imaginou
o que Deus preparou
   para aqueles que o amam";

mas Deus o revelou a nós por meio do Espírito. O Espírito sonda todas as coisas, até mesmo as coisas mais profundas de Deus. Pois quem conhece os pensamentos do homem, a não ser o espírito do homem que nele está? Da mesma forma, ninguém conhece os pensamentos de Deus, a não ser o Espírito de Deus.

Você nunca entenderá o que estou falando sem a iluminação do Espírito Santo. Quando expulsamos o Espírito Santo da igreja e introduzimos outras coisas, expulsamos nossos próprios olhos. A igreja está repleta de cegos que não conseguem enxergar porque o Espírito Santo nunca lhes abriu os olhos. Lídia só acreditou em Cristo quando o Senhor lhe abriu os olhos. Os discípulos só acreditaram em Cristo na estrada de Emaús quando ele lhes abriu os olhos. Ninguém pode ver Deus nem acreditar nele enquanto o Espírito Santo não lhe abrir os olhos. Quando entristecemos e apagamos o Espírito Santo, quando o negligenciamos, quando o expulsamos e o substituímos por outras coisas, fazemos de nós pessoas cegas.

Precisamos nos aproximar de Deus reverentemente, ajoelhados. Você sempre vê Deus quando está ajoelhado. Você nunca vê Deus quando está em pé audaciosamente, com plena confiança de que tem algum valor. Deus é inimaginável, inconcebível; sua mente não é capaz de entender como Deus é nem visualizar seu ser. A regra é: se você for capaz de imaginar, Deus não é assim.

Deus não se parece com nada do que conhecemos, a não ser com a alma do homem. Foi o velho Meister Eckhart, o alemão consagrado, que disse que a alma do homem era mais semelhante a Deus do que qualquer outra coisa no Universo. Deus fez o homem à sua imagem; você não pode ver a alma de um homem, por isso nunca viu nada semelhante a Deus. Você nunca ouviu nada nem tocou em nada semelhante a Deus, a não ser dentro de seu coração. Deus está além de nossos pensamentos, eleva-se acima deles, foge deles e os confunde em espanto e majestade terríveis e incompreensíveis.

Conforme eu disse, somos motivados a fazer uso de afirmações negativas quando falamos de Deus. Quando falamos da autoexistência de Deus, dizemos que Deus não tem origem. Quando falamos da eternidade de Deus, dizemos que Deus não tem início. Quando falamos da imutabilidade de Deus, dizemos que Deus não muda. Quando falamos da infinitude de Deus, dizemos que Deus não tem limites. Quando falamos da onisciência de Deus, dizemos que Deus não tem nenhum mestre e não pode aprender. São todas afirmações negativas.

Reduziríamos a duração de muitas orações se reconhecêssemos que Deus não pode aprender nada. Um diácono comum da igreja leva até vinte minutos todos os domingos dando lições de Deus. Mas Deus não pode aprender porque ele já sabe tudo o que há para saber. Ele sabe aquilo que você está tentando lhe dizer e sabe com mais perfeição do que você.

Ora, a Escritura usa também esse método negativo. A Escritura diz que o Senhor "não se cansa nem fica exausto" (Isaías 40.28) e que ele "não mente" (Tito 1.2). Diz: "De fato, eu, o Senhor, não mudo" (Malaquias 3.6). Diz: "Pois nada é impossível para Deus" (Lucas 1.37). E diz que Deus "não pode negar-se a si mesmo" (2Timóteo 2.13). E todas essas coisas são, claro, negativas. No entanto, caso alguém me acuse de parecer negativo, deixe-me ler o que o Senhor Jesus Cristo disse no capítulo 11 de Mateus:

> Naquela ocasião, Jesus disse: "Eu te louvo, Pai, Senhor dos céus e da terra, porque escondeste estas coisas dos sábios e cultos, e as revelaste aos pequeninos. Sim, Pai, pois assim foi do teu agrado. Todas as coisas me foram entregues por meu Pai. Ninguém conhece o Filho a não ser o Pai, e ninguém conhece o Pai a não ser o Filho e aqueles a quem o Filho o quiser revelar" (v. 25-27).

Sozinho, não sou capaz de entender, mas isso foi revelado ao meu espírito pelo Espírito Santo. Meu conhecimento a respeito de Deus não é o conhecimento a que Paulo se referiu quando disse:

> Eu mesmo, irmãos, quando estive entre vocês, não fui com discurso eloquente nem com muita sabedoria para lhes proclamar o mistério de Deus. Pois decidi nada saber entre vocês, a não ser Jesus Cristo, e este, crucificado. E foi com fraqueza, temor e com muito tremor que estive entre vocês. Minha mensagem e minha pregação não consistiram em palavras persuasivas de sabedoria, mas em demonstração do poder do Espírito, para que a fé que vocês têm não se baseasse na sabedoria humana, mas no poder de Deus (1Coríntios 2.1-5).

Lembre-se: aquela era uma cidade grega; o povo pensava no contexto da filosofia grega. Paulo também era um pensador, um filósofo. Mas ele disse: "Quando estive com vocês, não usei palavras pomposas; cheguei determinado a nada saber, a não ser Jesus Cristo crucificado".

Veja, se sua fé se baseia em argumento humano, alguém que seja melhor argumentador que você pode derrubar seus argumentos. Mas, quando o Espírito de Deus revela a verdade a seu coração e Deus manifesta essa verdade a seu coração, ninguém pode contra-argumentar. Se você conhece Deus por meio de Jesus Cristo, o Senhor, ninguém pode derrubar seus argumentos.

Quando eu estava na casa dos 20 anos de idade, lia mais filosofia que teologia. Lia mais livros escritos por psicólogos e filósofos. Tentava familiarizar-me com aquilo que as grandes mentes de várias eras pensavam. E, às vezes, encontrava alguém com um argumento que eu não podia rebater, o que não era bom para a Bíblia nem para mim. Então, ajoelhava-me e dizia com alegria no coração: "Senhor Jesus, esse homem se aproximou de mim tarde demais. Eu te encontrei e, embora não possa rebater os argumentos dele, tenho a ti e te conheço". E passava um tempo feliz de adoração, ajoelhado. Minha mente não conseguia entender, mas meu coração já havia entendido, e, ajoelhado, dizia: "Santo, santo, santo é o Senhor Deus todo-poderoso".

Desde então, aprendi que ninguém tem sabedoria suficiente para contradizer a Palavra de Deus e se sair bem. Algumas pessoas acham que sim, mas não têm. Um homem disse-me: "Às vezes, tenho problemas com os fundamentos de minha fé. Mas, quando me preocupo com os fundamentos, mergulho fundo na Bíblia e examino os fundamentos. E sempre dou a volta por cima e canto: 'Quão firme é o fundamento, ó santos do Senhor, para assentar nossa fé na maravilhosa Palavra de Deus!'". Tenha certeza de que ninguém tem conhecimento suficiente para contradizer a Palavra de Deus.

Deus conhece a si mesmo

Divina onisciência significa, entre outras coisas, que Deus conhece a si mesmo. De acordo com Paulo, "ninguém conhece os pensamentos de Deus, a não ser o Espírito de Deus" (1Coríntios 2.11). Portanto, Deus conhece a si mesmo. E, uma vez que Deus é a origem e o autor de todas as coisas e contém todas as coisas, conclui-se que Deus sabe todas as coisas. Sem esforço algum, Deus sabe instantaneamente e com perfeição todas as coisas que podem ser conhecidas.

Às vezes, é bom estar perto de pessoas que fazem as coisas com facilidade. Elas não têm de se esforçar até a exaustão. Por exemplo, gosto de ouvir alguém cantar uma nota alta e segurá-la. Temos a gravação de uma excelente soprano italiana; parece que não há tom que sua voz não alcance! Sobe acima das outras vozes, acima do livro, vai até o teto e então ameaça chegar ao firmamento. E parece que ela nunca força nenhum músculo.

É bom saber que alguém pode fazer alguma coisa sem esforço. A maioria de nós tem muita dificuldade. Escrevi alguns livros, o que me custou suor e sangue. Mas, quando se trata de Deus, ele faz tudo sem nenhum esforço. Deus nunca se esforça. Nunca diz: "Ah, esta tarefa vai ser muito difícil!". Nunca! Deus é capaz de fazer essa tarefa com a mesma facilidade que faz as outras coisas.

Da mesma forma, Deus, sem nenhum esforço, sabe instantaneamente (não um pouco por vez, mas instantaneamente e com perfeição) todas as coisas que podem ser conhecidas. É por isso que digo que Deus não pode aprender. Como eu disse antes, se entendêssemos que Deus não pode aprender, reduziríamos um pouco as nossas orações e aumentaríamos seu poder. Não há motivo para contar a Deus coisas que ele sabia antes de nascermos!

Deus sabe qual é o fim desde o começo e sabia antes de acontecer. Muito antes de seus pais se conhecerem, Deus sabia o que você estaria fazendo neste momento. Antes de seus avós se conhecerem, antes que a Inglaterra fosse uma nação ou o Império Romano fosse dissolvido, ou que fosse formado, Deus sabia tudo sobre nós. Ele sabia tudo sobre nós — cada fio de cabelo de nossa cabeça, nosso peso, nosso nome, nosso passado. E sabia antes de nascermos.

Deus sabia da existência de Adão antes de Adão existir. E, quando Adão caminhava pelo jardim com Deus, Deus sabia tudo sobre Adão, tudo sobre Eva, tudo sobre seus filhos, tudo sobre a raça humana. Deus nunca fica abismado, espantado ou surpreso, porque ele já sabe. Você pode andar pela rua, virar a esquina e ter a surpresa de sua vida. Mas Deus nunca vira a esquina e fica surpreso, pelo simples motivo de que Deus já havia virado a esquina antes de fazer isso. Deus já sabia antes de descobrir! Deus sabe todas as coisas.

É agradável sentar-se e conversar com Deus. Os salmos estão repletos de conversas, bem como da história de homens tementes a Deus. É bom conversar com Deus, mesmo que ele já saiba o que estamos falando. Mas a ideia de fazer uma preleção a Deus, não acredito muito nela.

Gosto muito de ouvir pessoas orando, mas não gosto de ouvi-las repetindo sempre a mesma oração, dia após dia. É por isso que não vou a todas as reuniões de oração como deveria. Sei o que eles vão dizer; então, por que não fazer o que o vaqueiro fez quando escreveu sua oração em um cartão

A onisciência de Deus

e colocou-o na cabeceira de sua cama. Na hora de dormir, ele dizia: "Senhor, é isto o que sinto" e dormia! Não sei por que eu deveria passar meia hora com meu joelho ossudo dobrado, ouvindo um diácono fazendo uma palestra para Deus durante quarenta e cinco minutos. Deus já sabe! Ele não precisa aprender.

Se houvesse alguma coisa que Deus poderia aprender, seria porque Deus não sabia disso antes. E, se ele não sabia antes, então ele não sabia tudo; e, se não sabia tudo, não seria perfeito; e, se não fosse perfeito, então não seria Deus. O Deus que pode aprender qualquer coisa não é Deus. Deus já sabe tudo o que pode ser aprendido, tudo o que existe para saber, e ele sabe instantaneamente e com perfeição, sem esforço ou embaraço. Ele sabe tudo. É o que Paulo quis dizer em Romanos 11.33-36:

> Ó profundidade da riqueza
>   da sabedoria
>   e do conhecimento de Deus!
> Quão insondáveis são
>   os seus juízos
> e inescrutáveis
>   os seus caminhos!
> "Quem conheceu a mente
>   do Senhor?
> Ou quem foi seu conselheiro?"
> "Quem primeiro lhe deu,
>   para que ele o recompense?"
> Pois dele, por ele e para ele são todas as coisas.
> A ele seja a glória
>   para sempre! Amém.

O texto diz que Deus não tem conselheiro — outra expressão negativa. Deus não teve professor. Nunca foi à escola. Quem poderia ensinar Deus? Será que Deus poderia chamar um arcanjo e dizer-lhe: "Arcanjo, eu gostaria de ser informado a respeito deste assunto"? Sabemos que o presidente dos Estados Unidos tem pessoas no país inteiro com os ouvidos atentos, para fornecer-lhe informações. Os políticos estão sempre tentando descobrir o que o público anda dizendo. E, assim que descobre, o político se levanta e anuncia com altivez: "As convicções deles são as minhas convicções". E é eleito. Mas foi eleito por ter descoberto o que o público queria que ele soubesse.

Você é capaz de imaginar Deus chamando um serafim e dizendo: "Há uma galáxia distante tantos bilhões de anos-luz que a perdi de vista. Gostaria que você a visitasse e me trouxesse informações para que eu saiba como dirigir meu Universo"? Eu não adoraria um Deus como esse; teria piedade dele. Diria: "Que Universo grande e maravilhoso, mas que deus pequeno!".
Não, Deus nunca manda alguém buscar informações. Ele as tem no ato, com perfeição e sem esforço. Deus conhece tudo o que existe. Nunca descobre nada nem procura nada. Nunca anda sem destino em busca de informações.

A esse respeito, um desafio que me vem à mente é aquela passagem em Gênesis: "[...] descerei para ver se o que eles têm feito corresponde ao que tenho ouvido [...]" (18.21). Você sabe por que Deus disse isso? Deus, que havia feito Sodoma, que conhecia o fim desde o início, sabia o que era verdade, mas estava lidando com pessoas. Às vezes, nosso Senhor fazia perguntas às pessoas, mas não à procura de informações, porque "não se confiava a eles, pois conhecia a todos".

122

Não precisava que ninguém lhe desse testemunho a respeito do homem" (João 2.24,25).

Ele só queria induzir a pessoa a falar, como se você dissesse a um menino de 5 anos de idade: "Johnny, quem foi o primeiro presidente dos Estados Unidos?". Você não perguntou com o propósito de obter informações! Lembro-me de um menino em seu primeiro dia de aula. Ao chegar em casa, avisou que não voltaria à escola.

— Por quê? — a mãe perguntou.

— A professora é a mulher mais idiota que já vi na vida. Não sabe nada de nada. Pergunta tudo para mim!

Portanto, Deus disse: "descerei para ver" e fez uma pergunta. Jesus, nosso Senhor, fez perguntas aos seus discípulos, mas já sabia as respostas. Deus sabe!

Para mim, é um grande consolo saber que Deus conhece tudo — imediatamente, sem esforço e com perfeição — todo assunto e todos os assuntos, toda lei e todas as leis, todo espaço e todos os espaços, todos os princípios e cada princípio, todas as mentes, todos os espíritos e todas as almas. Deus conhece todas as causas e todas as relações, todos os efeitos e todos os desejos, todos os mistérios e todos os enigmas, todas as coisas desconhecidas e ocultas. Não existem mistérios para Deus.

Há muitas coisas misteriosas para você e para mim. "Não há dúvida de que é grande o mistério da piedade: Deus foi manifestado em corpo [...]" (1Timóteo 3.16). Ao longo dos séculos, os teólogos têm tentado, com toda a reverência, descobrir como o Deus infinito, inimitável, pôde reduzir-se em forma humana. É um grande mistério. Não sabemos, mas Deus sabe e Deus não se preocupa com isso. É por esse motivo que tenho uma boa e pacífica vida cristã, embora não seja um homem muito calmo e controlado.

Não me preocupo com os satélites que estão sendo lançados ao redor da Terra. Não me preocupo com Kruschev (ex-líder da antiga União Soviética) nem com nenhum desses homens cujos nomes não conseguimos pronunciar. Deus está dirigindo seu mundo e ele sabe tudo a respeito do mundo. Sabe onde esses homens morrerão, sabe onde serão enterrados e sabe quando serão enterrados. Deus conhece todas as coisas ocultas e "habita em luz inacessível, a quem ninguém viu nem pode ver" (6.16).

Ele conhece também seu povo. Você que buscou refúgio nele, em Jesus Cristo, o Senhor, ele o conhece, e você não é órfão. O cristão nunca está perdido, embora pense que sim. Pode estar na mata no norte do país caçando cervos e não encontrar o caminho de volta, mas não está perdido; o Senhor sabe onde ele está. O Senhor conhece tudo sobre ele. O Senhor conhece sua saúde e conhece seu ramo de trabalho. Para você, não é um consolo saber que nosso Pai conhece tudo?

> Ele conhece, ele conhece
> As tempestades que em meu caminho surgem.
> Ele conhece, ele conhece
> E acalma o vento forte que tenta me derrubar.[2]

Não é um consolo para você? Para mim, é. Para mim, é um consolo saber que

> Não sei onde suas ilhas
> Erguem as palmas das mãos;

[2] HENRY, S. M. I., My Father Knows (hino), 1897.

Só sei que não posso ser levado
Para longe de seu amor e cuidado.[3]

Sua pressão arterial está subindo? Você está preocupado? Talvez não saiba o que fazer e pensa que ninguém mais sabe. Tenho boas notícias para você. Aquele que é perfeito em conhecimento está com você, e ele sabe! Se você confiar nele, ele o tirará dessa situação. Ele é perfeito em conhecimento e o guiará. E, quando você sair da situação, saberá que tudo o que Deus fez estava correto.

"[...] Ele faz tudo muito bem [...]" (Marcos 7.37). Você acredita nisso? Acredita que Deus o trata corretamente? Talvez a pessoa com quem você se casou não seja o anjo dos seus sonhos. Bom, Deus sabe tudo a seu respeito. E sabe que, mesmo que tenha sido um erro, é um erro que Deus pode consertar. Deus pode pegar o nada e produzir algo desse nada. Deus pode pegar seus erros e polir esses erros.

Você conhece a antiga história do belo vitral da catedral que foi depredado? Algumas crianças atiraram pedras no vitral, e ele ficou todo quebrado. Chamaram o melhor artista do país e perguntaram:

— O que você pode fazer?

— Deixem por minha conta — ele disse. Então, pegou seus mais finos instrumentos e começou a cortar o vidro, traçando linhas artísticas onde havia rachaduras, embelezando cada uma delas. Quando o trabalho estava terminado, os raios solares incidiram sobre uma das mais lindas obras de arte em vidro do mundo.

---

[3] WHITTIER, John Greenleaf (1807-1892), **The Eternal Goodness**.

Lembro-me de uma passagem de Salmos que diz: "Embora tenhais caído entre vasos quebrados, ainda assim sereis como as asas de uma pomba cobertas de prata, e suas folhas, de ouro reluzente" (68.13, tradução livre da versão King James em inglês). Ora, o que isso significa? Mostra a descrição de uma pobre pomba que caiu entre vasos quebrados, o lugar onde o lixo é jogado. Talvez alguém tenha atirado uma flecha para atingir a pombinha, e ela caiu e pousou ali. Não estava morta, mas muito machucada. Depois de receber a luz do Sol, ela comeu algumas sementes aqui e ali, à espera de que a natureza curasse sua asa. E, um dia, quando o Sol brilhava forte e as outras aves voavam, ela testou sua força, bateu as asas e foi embora.

Enquanto ela voava em círculos, alguém disse:

— Vejam a linda pomba, brilhando como prata!

— Sim — disse outro —, veja o ouro nas pontas de suas asas.

Pouco tempo antes, ela estava jogada em uma pilha de lixo, mas agora levantou voo pela graça de Deus em direção ao Sol. Essa foi a maneira de Davi dizer que Deus pode pegar o nada, pegar criaturas miseráveis como você e eu, e nos transformar em pombas com asas de prata e ouro.

Deus conhece o não salvo

Deus conhece até o homem não abençoado, o homem sem Deus. Se eu estivesse falando a um homem não salvo, eu lhe diria em primeiro lugar que Deus o conhece pelo nome. Isaías 45.4 diz: "[...] eu te chamei pelo teu nome [...], ainda que não me conheces" (ARA). Deus conhece o seu nome e o conhece inteiramente. De acordo com o salmo 139, Deus sabe por que você está rejeitando seu Filho. Ele conhece seus pecados secretos.

Sabemos que uma pessoa com um pecado secreto pode escondê-lo por muito tempo. Leio no jornal a respeito de homens que assaltam bancos há vinte anos. Você pode assaltar bancos ou manipular seus livros, mas alguém vai saber, e esse alguém é Deus. Deus conhece suas justificativas e motivos verdadeiros, aqueles que você esconde de si mesmo. Ele conhece seu passado oculto e seu futuro.

Deus sabe qual é o último lugar onde você vai se deitar. Ele sabe o nome do motorista do carro fúnebre que o levará até a última morada. Ele sabe tudo isso. Sabe e vê o que você não sabe nem vê. Sabe por que você não é cristão, por que não está seguindo seu Filho. Então, por que não se colocar debaixo da proteção dele agora?

Há um excelente hino antigo em latim no qual o compositor pede que Jesus Cristo se lembre (vou citar com minhas palavras): "Senhor Jesus, lembra-te de por que vieste a este mundo. Eu sou o motivo". Essa é sua súplica, por pior que você seja, não importa até que ponto você seja desonesto, enganador e mentiroso, não importa até que ponto tenha assimilado ou desassimilado. Você pode sempre recorrer a Jesus Cristo, e o Senhor o pegará e o receberá. Que notícia maravilhosa! "[...] Este homem recebe pecadores e come com eles" (Lucas 15.2).

Não há nada que possamos contar a Deus que ele não saiba e não podemos apresentar justificativas para nada. Nossos motivos são como um papel fino, através do qual Deus vê. Contudo, apesar disso, Deus o ama, o convida e o aceitará. Não há motivo para não se aproximar dele.

CAPÍTULO 7

A sabedoria de Deus

Por sua sabedoria o Senhor lançou os alicerces da terra, por seu entendimento fixou no lugar os céus. (Provérbios 3.19)

Mas foi Deus quem fez a terra com o seu poder, firmou o mundo com a sua sabedoria e estendeu os céus com o seu entendimento. (Jeremias 10.12)

Sim, ao único Deus sábio seja dada glória para todo o sempre, por meio de Jesus Cristo [...]. (Romanos 16.27)

"Deus é que tem sabedoria e poder; a ele pertencem o conselho e o entendimento." (Jó 12.13)

A qual ele derramou sobre nós com toda a sabedoria e entendimento. (Efésios 1.8)

A intenção dessa graça era que agora, mediante a igreja, a multiforme sabedoria de Deus se tornasse conhecida dos poderes e autoridades nas regiões celestiais. (Efésios 3.10)

A nossa língua, você deve saber, tem tido sucesso em criar novas palavras unindo uma palavra a outra. Por exemplo, pegamos a palavra "ciência", que significa "conhecimento", e a ligamos à palavra *oni*, que significa "tudo", para criar "onisciência". Pegamos a palavra "potência" e a ligamos à palavra *oni* para criar "onipotência". Mas, quando se trata da palavra "sabedoria", os neologistas não uniram uma palavra à outra. Não existe a palavra "onissabedoria". O dicionário

Webster contém cerca de 250 mil palavras, mas, quando queremos uma, temos de criá-la! Então, não vou criar uma nova palavra e direi simplesmente que Deus é sábio! E, se Deus é infinito, então ele é infinitamente sábio. Lemos em Provérbios 3.19 e Jeremias 10.12 que o Senhor fundou a terra, estabeleceu e estendeu os céus com sabedoria, entendimento e prudência. Esses são dois entre os muitos versículos da Bíblia que falam da sabedoria de Deus.

A sabedoria de Deus é algo que precisa ser aceito pela fé. Anselmo [de Cantuária] diz, conforme mencionei antes, que não temos motivo para acreditar, mas entendemos porque já acreditamos. Se eu tiver de entender minha fé, então volto ao ponto de não ter motivo para acreditar. A fé é um instrumento de conhecimento; se sei algo pela fé, vou entender.

Por esse motivo, não faço nenhuma tentativa de provar a sabedoria de Deus. Se tentasse provar que Deus é sábio, a alma amargurada não acreditaria de forma alguma, mesmo que minhas provas fossem as mais perfeitas e convincentes. E o coração adorador já sabe que Deus é sábio e não necessita que sua sabedoria seja provada. Assim sendo, não tentarei provar nada; simplesmente começo com a afirmação de que Deus é sábio.

Também não devemos pedir a Deus que prove sua sabedoria. Cremos que Deus é sábio porque Deus é Deus. Se pedíssemos que Deus nos desse uma prova de sua sabedoria, seria uma afronta à perfeição de sua divindade. Se, após o culto, você me pedisse uma prova de algo que eu disse, eu não me sentiria ofendido, porque sou humano e posso cometer erros. Mas, se pedirmos uma prova a Deus, estamos afrontando a Majestade que está nos céus. E pensar em Deus em termos diminutos é a suprema degradação.

A sabedoria de Deus

É necessário que nós, seres humanos, concordemos com, no mínimo, dois atributos de Deus: sabedoria e bondade. O Deus que se assenta nas alturas, que fez o céu e a terra, tem de ser sábio, caso contrário você e eu não poderíamos ter certeza de nada. Ele tem de ser bom, senão a terra seria um inferno, o céu seria um inferno e o inferno seria um céu. Temos de concordar com a bondade e a sabedoria de Deus, caso contrário não teríamos lugar para ir, nenhuma pedra para firmar os pés, nenhum modo para pensar, raciocinar ou acreditar. Precisamos crer na bondade e na sabedoria de Deus, senão trairemos aquilo que existe em nós e nos diferencia dos animais — a imagem do próprio Deus.

Portanto, começamos com a convicção — não com um palpite ou esperança, mas com o conhecimento — de que Deus é sábio. Mas alguém perguntará: "Se Deus é bom e sábio, como você explica a poliomielite, os campos de prisioneiros, as execuções em massa, as guerras e todos os males que existem no mundo? Há muitas pessoas em leitos de enfermidade, andando sem uma perna, surdas ou cegas. E, se Deus é bom e sábio", diz o crítico, "como explicar por que essas coisas acontecem?".

Vou explicar por meio de uma alegoria. Digamos que um homem seja muito, muito sábio; não apenas sábio, mas rico ao ponto de possuir todo o dinheiro do mundo. Vamos imaginar que ele decida construir o mais belo palácio que já existiu no mundo. Em algum país pequeno, digamos um país da Europa, ele reúne os artistas e arquitetos mais competentes, os projetistas mais competentes que podem ser encontrados. Faz uma pesquisa em todos os países do mundo e contrata os melhores cérebros e os melhores talentos que existem e os leva para lá.

Então, ele diz: "Tenho bilhões de dólares para colocar à disposição de vocês. Dinheiro não é problema. Quero que construam o mais belo edifício do mundo. Quero que o piso seja de ouro, quero que as paredes sejam de jaspe, quero que a mobília seja de marfim esculpido. Quero que o edifício seja cravejado de diamantes e rubis. Quero que seja o epítome de tudo o que é belo, de tudo o que é luxuoso, de tudo o que um gênio é capaz de criar. Quando estiver terminado, quero que seja assunto no mundo inteiro. Quero todas as pessoas do mundo, desde a Broadway, Piccadilly Circus até as selvas da África e Bornéu falem desse palácio. Agora comecem a trabalhar e me ofereçam o melhor que vocês podem oferecer".

Reunindo sua sabedoria e genialidade, eles construíram o mais belo edifício — um edifício que faria o Taj Mahal parecer um celeiro. A beleza do palácio superava a tudo.

Bem, suponhamos que, depois de um ano mais ou menos, o destino político mude e um exército invasor domine aquele pequeno país. Os soldados chegam e assumem o comando do palácio — soldados enormes, valentões, bárbaros usando botas com pregos nas solas. Eles não se preocupam nem um pouco com beleza, arte, diamantes e ouro. Digamos que usem o palácio como estábulo para seus cavalos, cuspam no chão, atirem latas de cerveja por toda parte e transformem o local em uma pocilga. Com o tempo, no belo palácio há somente sujeira, trapos e imundície de todo tipo; o proprietário do palácio e os artistas que o construíram fugiram para o exílio.

Enquanto os soldados atravessam o pequeno país com o salto de suas botas, um transeunte sussurra para outro:

— Ali está um grande palácio, a maior concentração da beleza universal que o mundo já conheceu.

— Não me parece ser assim, nem o cheiro é bom! — diz outro. — É um chiqueiro! Como você pode dizer que é belo?
— Ei, espere um pouco — replica o primeiro. — Estamos em guerra, e este é um país ocupado. O destino da guerra vai mudar de novo, e o opressor será expulso.

Vamos supor que esses homens cruéis e desumanos sejam expulsos. O homem rico volta de seu exílio distante e diz aos artistas, arquitetos e escultores: "Vamos trabalhar para deixar limpo este lugar. Vamos começar de baixo e subir até o topo, para deixar o palácio em boa forma como era".

Depois de mais ou menos um ano de trabalho, o palácio volta a ser como antes, brilhando ao sol do meio-dia — o epítome de toda beleza e a essência de tudo aquilo que o homem é capaz de fazer. E os jornais, repórteres de televisão e rádio do mundo inteiro voltam a falar do palácio. É considerado mais uma vez a construção mais bela do mundo.

Era uma vez alguém chamado Deus — o Deus Pai todo-poderoso, criador do céu e da terra. Ele permitiu que sua poderosa sabedoria criasse o homem e disse: "[...] Façamos o homem à nossa imagem [...]" (Gênesis 1.26). Então, ele fez um jardim no Éden, no lado leste, e colocou o homem ali. Deus disse ao homem: "[...] farei para ele alguém que o auxilie [...]" (2.18). Fez o homem dormir, tirou-lhe uma das costelas, fez a mulher e disse: "Esta será sua companheira, sua esposa". E deu-lhe o nome de Eva.

Então, Satanás entrou no jardim e enrolou-se nos galhos da árvore da vida. Começou a sussurrar insinuações contra Deus. E o destino da guerra moral mudou. Satanás assumiu o controle, e o homem pecou, traindo ao Deus que o criou. Aquele que era o mais belo e o mais encantador de todos os jardins de todos os mundos, habitado pelas mais radiantes de todas as criaturas, feitas à imagem de Deus, transformou-se em uma pocilga e mergulhou nas trevas.

Então, o crítico passa diante do palácio como os outros transeuntes e pergunta: "Você está me dizendo que este chiqueiro foi feito por um Deus sábio?".

Eu, porém, digo: "Espere um pouco. Deus, em sua grande sabedoria em seu modo providencial de tratar este mundo, permitiu que soldados estrangeiros o ocupassem. E este epítome de toda beleza, esta esfera voadora que chamamos de Terra, este glorioso lar da criatura feita à imagem de Deus, está agora sob uma nuvem, uma sombra". Lemos em Romanos 8.19-22:

> A natureza criada aguarda, com grande expectativa, que os filhos de Deus sejam revelados. Pois ela foi submetida à inutilidade, não pela sua própria escolha, mas por causa da vontade daquele que a sujeitou, na esperança de que a própria natureza criada será libertada da escravidão da decadência em que se encontra, recebendo a gloriosa liberdade dos filhos de Deus. Sabemos que toda a natureza criada geme até agora, como em dores de parto.

Os sábios planos de Deus serão efetivados, mas Deus, em sua sabedoria, permitiu essa ocupação dos estrangeiros por algum tempo. O mundo em que vivemos, com seus ciclones, tornados, tempestades, ondas gigantescas e outras forças de destruição, está sob ocupação. Os soldados do Diabo marcham nele para cima e para baixo com suas botas com pregos nas solas, sua ignorância e falta de apreço. Pegam a beleza de Deus e a destroem.

A sabedoria de Deus

No estado da Pensilvânia, onde nasci, há colinas onduladas, riachos cintilantes, cachoeiras, prados e florestas encantadoras. Se você tivesse percorrido suas terras, veria como é belo. Perto de onde eu morava quando era menino, os homens que amam o dinheiro fizeram o que chamam de mineração a céu aberto. Em vez de cavar um buraco para extrair o carvão, eles desnudam o topo da colina. O resultado é como se a natureza estivesse chorando, como se o mundo todo fosse um cemitério. Vi milhares de hectares de encantadoras encostas de colinas, verdes e belas, que conheci na infância, como se estivessem feridas e sangrando. Usaram escavadeira, arado e outros instrumentos enormes para destruir a natureza — apenas para extrair um pouco de seu tesouro e ganhar um pouco mais de dinheiro, apenas para construir uma piscina mais ampla e comprar um iate maior.

Você acha que o Deus todo-poderoso capitulou e foi embora para sempre? Não! Deus diz: "Estou no comando da criação, embora ela esteja gemendo sob o arado e a escavadeira, sob as botas do inimigo".

> Em um destes dias o grande Deus todo-poderoso vai enviar seu Filho, pois "com a voz do arcanjo e o ressoar da trombeta de Deus, o próprio Senhor descerá dos céus, e os mortos em Cristo ressuscitarão primeiro. Depois nós, os que estivermos vivos, seremos arrebatados com eles nas nuvens [...]" (1 Tessalonicences 4.16,17).

Seremos transformados, ressuscitados, glorificados e feitos à imagem de Deus. Ele vai limpar a casa aqui embaixo, e haverá paz desde o rio até os confins da terra. Onde mora o dragão, haverá rosas florescendo e o fruto do paraíso. Então, veremos que Deus é sábio. Mas precisamos ter paciência e acompanhar Deus por algum tempo, porque estamos sob ocupação.

Definição de sabedoria

O que é sabedoria? É a capacidade de atingir os mais perfeitos fins pelos mais perfeitos meios. Tanto os meios quanto os fins devem ser dignos de Deus. Sabedoria é a capacidade de ver o fim desde o começo, ver tudo de forma adequada e com foco total. É julgar tendo em vista o final e os fins definitivos e esforçar-se para alcançar esses fins com precisão perfeita.

O Deus todo-poderoso é perfeitamente preciso. Deus não se confunde. Os ingleses diziam: "Nós misturamos tudo", significando que conseguiam vencer de alguma forma, decidiam lidar com a situação à medida que ela se desenvolvia, esperando o melhor e tirando vantagem de tudo. E foram bem-sucedidos nos últimos mil anos. Esse é o nosso modo de agir, mas Deus nunca trabalha assim. Se Deus trabalhasse assim, provaria que ele não sabe mais do que sabemos a respeito das coisas. Deus trabalha com precisão perfeita porque Deus vê o fim desde o começo e nunca precisa recuar.

Você já notou que nosso Senhor Jesus Cristo, quando aqui esteve, nunca se desculpou? Ele nunca se levantou de manhã e disse: "Sinto muito, rapazes. Ontem, quando estava falando, me atrapalhei e disse aquilo que não queria dizer". Nunca! Porque ele era a sabedoria divinamente encarnada na voz de um homem. E, quando falava, dizia a coisa certa na primeira vez. Nunca precisou se desculpar.

Já tive de me levantar e me explicar algumas vezes. Tive até de me desculpar em público e dizer às pessoas que agi como um idiota algumas vezes. Sou um ser humano, você sabe.

A sabedoria de Deus

Mas Jesus Cristo nunca disse: "Lamento muito, mas disse a coisa errada ontem; não queria deixar essa impressão". Ele dizia o que era certo, porque era Deus. Nunca se desculpou, nunca se explicou. Ele disse: "É assim que tem de ser", e o povo entendia ou não. E, se o povo não entendia, ele lhes explicava um pouco mais, porém nunca voltou atrás no que disse, porque ele é Deus.

Na Bíblia, a sabedoria é diferente da sabedoria do mundo, porque a sabedoria bíblica possui uma conotação moral. É sublime e santa, repleta de amor e pureza. A ideia de astúcia ou sagacidade nunca é encontrada na Escritura, exceto quando atribuída a Satanás ou a homens perversos. Mas a sabedoria, quando atribuída a Deus, a homens bons ou a anjos, significa sempre a capacidade de alcançar um nível alto, puro e amoroso. Não existe nenhuma astúcia ou malícia na Escritura.

A sabedoria de Deus é infinita

Deus é sábio, portanto tem de ser onisciente. Não poderia ser um pouco sábio. Se eu pensasse que Deus é apenas um pouco sábio, ou até 90% sábio, jamais conseguiria dormir à noite. Se eu assistisse ao jornal das 22 horas e ouvisse o que estão fazendo no Congo e em Laos, se ouvisse que os soldados inimigos invadiram suas fronteiras — se soubesse dessas coisas e acreditasse que Deus está certo apenas parcialmente, jamais seria capaz de dormir. Ficaria preocupado a ponto de entrar em estado de choque. Mas creio que Deus é infinitamente sábio, totalmente criterioso.

Por sua sabedoria
o Senhor lançou os alicerces da terra,

por seu entendimento
fixou no lugar os céus. (Provérbios 3.19)

Não temos de nos preocupar, porque Deus é sábio — infinitamente sábio.

Vemos a sabedoria de Deus em sua criação e em sua redenção, na medida em que ele planejou o bem maior para o maior número de pessoas e pelo mais longo tempo. Odeio a palavra "oportunista". Não odeio pessoas; odeio coisas. Não odeio um pregador servil, bajulador e oportunista. Não posso odiá-lo e, ao mesmo tempo, ser cristão. Mas odeio o modo servil, rastejante e astucioso pelo qual ele vive. E não gosto de oportunismo, porque é uma atitude que não pensa no próximo ano, muito menos na eternidade. Os oportunistas pensam apenas na próxima vez — na próxima vez em que enviarão um relatório à diretoria ou na próxima vez em que forem convocados para viajar. Os oportunistas trabalham apenas em prol do momento atual.

Deus, por outro lado, pensa sempre no bem maior, para o número maior, para o mais longo tempo. Deus pensa sempre em termos de eternidade. Quando planeja abençoar um homem, Deus pega em suas mãos aquela criatura pobre, insignificante e destruída pelo tempo e diz: "Meu filho, sopro em você a eternidade e a imortalidade; permito que você compartilhe minha eternidade". Se você soubesse realmente quanto é privilegiado por viver e estar com Deus, se alegraria! O Deus todo-poderoso planejou que você desfrute sua companhia agora e também por toda a eternidade. E isso é para o número maior de pessoas e o bem maior.

Às vezes, as igrejas e as autoridades governamentais esforçam-se para conseguir um pouco mais de dinheiro ou alguns membros a mais, mas o esforço não visa ao bem maior das pessoas. Toda igreja deve ter em vista o bem maior e o maior número de pessoas, mesmo que pareça fracassar. Foi assim que Deus planejou.

A sabedoria de Deus revelada

Enquanto refletimos sobre onde a sabedoria de Deus é revelada, lembre-se daquela alegoria do belo palácio; lembre-se de que ele pode ser disputado por incrédulos. Eles vão andar pelo belo palácio, que se transformou em um chiqueiro, e dizer: "Você não pode provar para mim que o Deus que fez isto é sábio e bom. Há muito sofrimento, maldade, pecado e imundície". Repito: o Deus todo-poderoso está no comando deste mundo; chegará o dia em que Deus levantará uma nuvem do mundo e, vindos de todos os lugares, eles se ajuntarão, admirados, e dirão quão maravilhoso é Deus:

> "Tu, Senhor e Deus nosso,
> és digno de receber
>   a glória, a honra e o poder,
> porque criaste todas as coisas,
> e por tua vontade elas existem
>   e foram criadas". [...]
> "Tu és digno [...]
> pois foste morto
>   e com teu sangue compraste para Deus
> gente de toda tribo, língua, povo e nação.
> Tu os constituíste reino
>   e sacerdotes
>   para o nosso Deus,
> e eles reinarão sobre a terra". [...]

"Digno é o Cordeiro
que foi morto
de receber poder, riqueza, sabedoria, força,
honra, glória e louvor!" (Apocalipse 4.11; 5.9,10,12)

E seremos admirados, e Deus será admirado em nós. Observe que, quando Deus fez suas obras mais temíveis e grandiosas, ele sempre as fez em meio a trevas. Na Criação, você deve lembrar-se do que está escrito: "No princípio Deus criou os céus e a terra. Era a terra sem forma e vazia; trevas cobriam a face do abismo [...]. Disse Deus: 'Haja luz', e houve luz" (Gênesis 1.1-3). Em meio às trevas, Deus estava realizando coisas maravilhosas, temíveis, terríveis, gloriosas, como se dissesse: "Não quero que nem mesmo os anjos, os serafins ou os arcanjos vejam o que estou fazendo".

Quando enviou seu Filho ao mundo em forma humana, Deus não o enviou direto do céu, brilhando como um meteoro para assustar o mundo. Ele formou-o na suave escuridão do ventre de uma virgem, invisível ao olho mortal. Os ossos foram formados no ventre daquela que estava com a criança. Foi como se Deus estivesse dizendo: "Em minha infinita sabedoria, estou encarnando minha Palavra eterna na forma de um homem, e ninguém verá o meu mistério". E ninguém nunca viu!

Quando seu Filho foi pregado na cruz, pendurado ali, retorcendo-se e contorcendo-se na morte por você e por mim, quando as trevas cobriram a terra como uma nuvem acima dele, foi como se Deus estivesse dizendo: "Você não pode vê-lo; não vou permitir que você o veja morrer. Estou realizando as maravilhas da expiação em meio às trevas".

A sabedoria de Deus

E, quando a expiação foi feita, ele disse: "[...] Está consumado! [...]" (João 19.30). Deus fez o dia transformar-se em noite, e o corpo de Jesus foi levado para ser colocado no sepulcro. Quando as pessoas o viram ressuscitado, ele já havia ressuscitado. Elas chegaram antes do dia amanhecer, quando ainda estava escuro, mas ele não estava lá. Havia ressuscitado! Todas as coisas grandiosas que Deus fez, ele as fez no silêncio e em meio às trevas porque sua sabedoria é tal que nenhum homem poderia entender.

Na redenção, Cristo foi crucificado: "[...] Cristo é o poder de Deus e a sabedoria de Deus. [...] Ao contrário, falamos da sabedoria de Deus, do mistério que estava oculto, o qual Deus preordenou, antes do princípio das eras, para a nossa glória" (1Coríntios 1.24; 2.7). Na salvação, Deus exige que devemos nos arrepender e crer. Isso é feito pelo conselho sábio de Deus: "Visto que, na sabedoria de Deus, o mundo não o conheceu por meio da sabedoria humana, agradou a Deus salvar aqueles que creem por meio da loucura da pregação" (1.21). E, na consumação, vemos também a sabedoria de Deus: "A intenção dessa graça era que agora, mediante a igreja, a multiforme sabedoria de Deus se tornasse conhecida dos poderes e autoridades nas regiões celestiais" (Efésios 3.10). Portanto, em tudo isso, a sabedoria onisciente de Deus é revelada.

O ponto crucial de nossa vida está exatamente ali. Não importa se você conhece ou não esse pedacinho de teologia sistemática; a questão não é essa. A questão é saber se é a sabedoria de Deus ou a sua. Se é o caminho de Deus ou o seu. Tudo o que você e eu vivenciamos, esperamos e sonhamos no âmago de nosso coração — vida, segurança, felicidade, céu,

141

imortalidade, a presença de Deus — gira em torno de você aceitar ou não a suprema sabedoria do Deus trino, conforme revelado nas Escrituras e em sua obra providencial na humanidade. Ou você vai seguir seu próprio caminho? A definição mais perfeita de pecado que conheço encontra-se em Isaías 53.6:

> Todos nós, como ovelhas,
>   nos desviamos,
> cada um de nós se voltou
>   para o seu próprio caminho [...].

Voltar-se para nosso próprio caminho é a essência do pecado. Sigo meu caminho porque penso que ele é mais sábio que o caminho de Deus.

Deus pode dizer ao negociante:

— Dê o dízimo de sua renda neste ano.

O negociante responde:

— Ah, Deus, não posso!

Deus diz:

— Dê o dízimo, filho.

O negociante retruca:

— Não posso, porque, se der o dízimo, não vou poder pagar meus impostos.

Deus diz:

— Dê o dízimo, filho.

O negociante continua a dizer:

— Não posso, Deus.

E não dá o dízimo. No ano seguinte, ele não ganha tanto dinheiro e suas vendas diminuem. Por quê? Porque ele não está obedecendo a Deus.

Uma jovem de olhos brilhantes olha para aquele homem grandalhão que ela ama e deseja tanto, mas ele é um pecador e não tem nenhuma intenção de deixar de ser pecador, ao passo que ela é uma cristã nascida de novo. Então, ela se ajoelha diante de Deus e clama: "Oh, Deus, o que devo fazer?".

A voz dentro dela diz: *Você sabe o que deve fazer:* "*Não se ponham em jugo desigual com descrentes. Pois o que têm em comum a justiça e a maldade? Ou que comunhão pode ter a luz com as trevas?*" (2Coríntios 6.14).

Ela, porém, levanta-se e diz: "Não, Deus. Não vou pagar esse preço; é alto demais". Então, ela contemporiza; coloca sua sabedoria contra a sabedoria de Deus e casa-se com o homem. E ele recusa-se a ir à igreja e, daquele momento em diante, faz da vida dela um inferno. Cinco anos depois, com dois ou três filhos, o marido a abandona. Ela recorre a seu pastor com o coração partido e diz: "Pastor, o que posso fazer?".

Por ser um pastor de bom coração e não querer magoá-la, ele não a faz lembrar-se de quando a sabedoria de Deus disse: "Não se case com ele", e ela retrucou: "Sei mais que tu, Deus".

Esse é o ponto crucial de nossa vida. É a diferença entre uma igreja reavivada e uma igreja morta. É a diferença entre uma vida cheia do Espírito e uma vida autopreenchida. Quem a está dirigindo? Quem é o chefe? Que sabedoria está prevalecendo? A sabedoria de Deus ou a sabedoria do homem?

Em todas as tratativas providenciais de Deus comigo, devo assumir uma posição e decidir que o caminho de Deus é certo. Quando as coisas parecem dar errado comigo, em vez de acreditar que estão erradas, acredito que vão dar certo. Aceito a fé mencionada em Romanos 8.28: "Sabemos que Deus age em todas as coisas para o bem daqueles que o amam, dos que foram chamados de acordo com o seu propósito".

Tenho de decidir se vou seguir meu caminho ou confiar cegamente na sabedoria de Deus. Se eu confiar cegamente na sabedoria de Deus, Deus promete:

"Conduzirei os cegos por caminhos
que eles não conheceram,
por veredas desconhecidas eu os guiarei;
transformarei as trevas em luz diante deles
e tornarei retos os lugares acidentados [...]" (Isaías 42.16).

Deus me conduzirá e "se me puser à prova, aparecerei como o ouro" (Jó 23.10). Deus me conduzirá a um lugar de riquezas e me fará rico com os tesouros do céu que nunca perecem.

Se, porém, o homem desejar seguir seu próprio caminho, o Senhor lhe dará permissão. Como cristãos, temos de decidir se insistimos em nossos planos e ambições ou se seguimos o caminho de Deus. Se insistirmos em nossos planos e ambições, colocaremos em perigo tudo o que possuímos, porque nos falta sabedoria para saber implementá-los. Não se atreva a controlar sua vida.

Certa vez, durante um voo que partiu de Nova York, o vento soprava forte demais. Um homem sentado a meu lado já havia viajado muitas vezes de avião, mas não gostava de turbulência. "Quando sobrevoarmos a cidade", ele disse, "e ganharmos altitude, o vento vai enfraquecer". E enfraqueceu. Mas, quando estávamos naquela turbulência, eu não entrei na cabina dos pilotos e lhes disse: "Ei, rapazes, deixem o comando por minha conta". Sabe o que teria acontecido se eu tivesse assumido o comando? Teríamos caído de nariz na Times Square. Não assumi o comando; permiti que o comando permanecesse nas mãos dos pilotos.

A sabedoria de Deus

Não me preocupo com uma pequena turbulência durante a decolagem ou pouso, mas, quando estamos voando a uma altitude de 5 mil metros e as luzes do aviso "apertem os cintos" continuam acesas, digo a mim mesmo: "Hum, o que está acontecendo?". Mas sempre mantenho a calma e nunca entro na cabina dos pilotos, dizendo: "Ei, vocês dois, saiam daqui" — nunca.

No entanto, agimos dessa forma com Deus o tempo todo. Vamos à igreja e oramos para entregar nosso coração ao Senhor. Assinamos uma ficha e nos convertemos. Passamos a ser membros da igreja e somos batizados. Contudo, quando a situação se torna turbulenta, apressamo-nos em dizer: "Senhor, permite que eu controle esta situação!". É por isso que somos tão confusos em nossa vida cristã. Não estamos prontos para permitir que Deus dirija nosso mundo para nós — dirija nossa família, nossos negócios, nosso lar, nosso emprego, nosso tudo.

O Deus sábio sempre pensa em seu bem maior, pelo tempo mais longo. Ele sempre age com precisão perfeita, vendo o fim desde o começo. Nunca comete erros e nunca lhe pede nada que você não seja capaz de fazer ou não possua. Nunca faz exigências injustas, mas sabe que você é humano e o trata com compaixão. Seja qual for a ordem de Deus, ele lhe dá poder para obedecer à ordem — sempre. Você pode confiar nesse Deus. A dificuldade que temos é que não confiamos em Deus. É por isso que estamos na situação em que estamos.

Você vai entregar tudo nas mãos do Amor Infinito? Ouvi um excelente pregador contar a história de um homem cuja empresa faliu e foi comprada por outra pessoa. As transações foram feitas na sexta-feira, e na segunda-feira o ex-proprietário voltou a sentar-se em sua cadeira. O novo proprietário chegou e disse:

— Quem é você?

— Sou a pessoa que possuía esta empresa — respondeu o ex-proprietário.

— Sim, é verdade — disse o novo proprietário —, mas você faliu, e agora o dono sou eu. — E expulsou-o dali e assumiu o comando da empresa.

Quando toma nas mãos a vida de um homem falido, Deus diz: "Você está com dívidas até o pescoço. Vou assumir o controle. Vou dar um jeito. Vou pagar suas dívidas, vou dar um jeito na situação. Mas vou dirigir seus negócios". Então, depois de ser abençoados no domingo à noite, voltamos a ocupar a cadeira na segunda-feira de manhã. O Espírito Santo nos diz: "Achei que você orou ontem à noite para sair desta cadeira! Saia daí e deixe o controle por minha conta". Deus quer dirigir seus negócios, sua casa, sua esposa, seu marido, seus filhos, sua escola — tudo. Ele quer fazer isso e o fará.

Três classes de pessoas

As congregações comuns são divididas em três classes de pessoas: as não abençoadas, as não comprometidas e as comprometidas. As não abençoadas são aquelas que não acreditam o suficiente na sabedoria de Deus para confiar nele e entregar-lhe a vida. Nunca se entregaram a Jesus Cristo porque sabem que a entrega significa um compromisso que não estão dispostas a cumprir. Acreditam em Deus; acreditam até que Cristo morreu por seus pecados, mas não estão prontas para submeter-se a Deus e permitir que ele dirija seu mundo. Estão fora do aprisco, não nasceram de novo, não são abençoadas.

Há as pessoas não comprometidas. Não se rebelam contra Deus; "aceitaram Cristo", como dizemos, e tiveram uma espécie de experiência espiritual, mas nunca se dispuseram a ter a vida transformada. Não estão dispostas a dizer diante de Deus: "Senhor, quero que dirijas minha vida daqui em diante". Ficam em cima do muro. Sua espiritualidade oscila muito.

No Sul, esse tipo de pessoas vai à frente da congregação todas as vezes que um novo evangelista se apresenta. Aqui há uma brincadeira irônica a respeito dessas pessoas: "Ele só vai para o céu se alguém lhe der uma pancada na cabeça com uma machadinha depois que ele se converter!". Ele certamente vai ter uma recaída, porque não se comprometeu. A "conversão" ocorre todas as vezes em que o evangelista se apresenta, duas ou três vezes por ano, mas, nesse meio-tempo, ele tem uma recaída.

Evidentemente, no Norte tínhamos melhor ensino bíblico, portanto não fazemos isso. O não comprometido diz: "Estou salvo e ponto final. Creio que estou salvo e protegido". Ele tem todas as respostas, mas não se comprometeu e é infeliz.

Há muitos estudantes não comprometidos com os estudos. Passam a vida se divertindo na escola e tiram boas notas porque estudam muito para as provas. E há os cristãos que passam a vida se divertindo e envelhecem brincando com o cristianismo.

Por fim, há os comprometidos, aqueles que se comprometeram com a sabedoria de Deus para sempre. Estão satisfeitos porque Deus tem um caminho e porque a sabedoria divina os dirigirá de agora em diante. Não interferem nem permitem que seus pensamentos atrapalhem. Começam a brilhar como o Sol. Você sempre os reconhece.

Uma geração atrás, no Nyack College, um homem me disse: "Há alguns estudantes aqui que são diferentes. Parecem ter algo mais. O restante de nós é formado por pessoas comuns. Mas esses estudantes parecem ter algo mais. E você sempre sabe quais são". E você sabe — eles são os comprometidos, aqueles que buscaram Deus e disseram: "Meu Pai, a partir deste momento toma conta de minha vida. Quero que a dirijas. Não vou interferir. Não vou reclamar se for difícil, não vou desanimar se, aparentemente, eu fracassar, nem vou me vangloriar se tiver sucesso. Tua é a glória. Tua é a honra. Comprometo-me, Senhor, com tua eterna sabedoria. Não vou desonrar-te duvidando dela". Você pode tomar essa decisão. É como um casamento. Duas pessoas dizem simplesmente "sim" e estão casadas. Seja qual for a direção que suas emoções tomarem, ambas assumiram um compromisso com uma promessa. Da mesma maneira, você pode buscar Deus e transformar essa vida esfarrapada e descomprometida em uma vida totalmente comprometida. Deus diz: "Você deseja, de hoje em diante, abandonar tudo e me seguir? Confia que meu Filho dirigirá sua vida e que você não tentará dirigi-la por conta própria? Se estiver de acordo, diga 'sim'".

Se você responder: "Sim, Deus", sua promessa será igual à do casamento. Ela mudará o rumo, a direção e os relacionamentos de sua vida.

Você se arrisca a confiar na sabedoria eterna de Deus? Se sim, ore: *Ó Deus Pai, perdoa-me por duvidar. És infinitamente sábio, e, em minha ignorância, necessito de sabedoria infinita. Assume o comando de minha vida e sê minha sabedoria, minha justiça, minha santificação. Daqui em diante, reconheço que és eternamente sábio. Sê minha âncora e minha estrela-guia.*

Essa oração mudará sua vida inteira.

CAPÍTULO 8

A soberania de Deus

"*Reconheçam isso hoje, e ponham no coração que o Senhor é Deus em cima nos céus e embaixo na terra. Não há nenhum outro.*" (Deuteronômio 4.39)

"*Vejam agora que eu sou o único, eu mesmo. Não há Deus além de mim. Faço morrer e faço viver, feri e curarei, e ninguém é capaz de livrar-se da minha mão. Ergo a minha mão para os céus e declaro* [...]. (Deuteronômio 32.39,40)

"*Quem de todos eles ignora que a mão do Senhor fez isso? Em sua mão está a vida de cada criatura e o fôlego de toda a humanidade.* [...] *A ele pertencem a força e a sabedoria; tanto o enganado quanto o enganador a ele pertencem. Ele despoja e demite os conselheiros e faz os juízes de tolos.* [...] *Por que você se queixa a ele de que não responde às palavras dos homens?*" (Jó 12.9,10,16,17; 33.13)

"*Ó comunidade de Israel, será que eu não posso agir com vocês como fez o oleiro?*", *pergunta o Senhor.* "*Como barro nas mãos do oleiro, assim são vocês nas minhas mãos, ó comunidade de Israel.*" (Jeremias 18.6)

Como são grandes os seus sinais, como são poderosas as suas maravilhas! O seu reino é um reino eterno; o seu domínio dura de geração em geração. [...] *Todos os povos da terra são como nada diante dele. Ele age como lhe agrada com os exércitos dos céus e com os habitantes da terra. Ninguém é capaz de resistir à sua mão ou dizer-lhe: "O que fizeste?"* (Daniel 4.3,35)

O Senhor é muito paciente, mas o seu poder é imenso; o Senhor não deixará impune o culpado. O seu caminho está no vendaval e na tempestade, e as nuvens são a poeira de seus pés. (Naum 1.3)

Dizer que Deus é soberano é dizer que ele é extremamente superior a todas as coisas, que não há ninguém acima dele, que ele é Senhor absoluto da criação. É dizer que seu senhorio sobre a criação significa que não há nada fora de seu controle, nada que Deus não tenha previsto e planejado. Significa que até a ira do homem deve, em última análise, louvar a Deus, e o restante da ira ele conterá (v. Salmos 76.10, BKJ). Significa que toda criatura na terra, no céu e no inferno deve, futuramente, ajoelhar-se e confessar que Jesus Cristo é o Senhor para a glória de Deus Pai (v. Filipenses 2.10,11).

Pela lógica, a soberania de Deus implica sua liberdade absoluta de fazer tudo o que deseja fazer. Soberania de Deus não significa que ele pode fazer qualquer coisa, mas que ele pode fazer qualquer coisa que queira fazer. A soberania de Deus e a vontade de Deus são interligadas. A soberania de Deus não significa que Deus pode mentir, porque Deus não deseja mentir. Deus é verdade, então Deus não pode mentir, porque ele não deseja mentir. Deus não pode quebrar uma promessa, porque isso seria violar sua natureza, e Deus não deseja violar sua natureza.

É tolice, portanto, dizer que Deus pode fazer qualquer coisa. Mas a Bíblia diz que Deus pode fazer qualquer coisa que ele queira. Deus é absolutamente livre — ninguém pode forçá-lo, ninguém pode impedi-lo, ninguém pode detê--lo. Deus é livre para fazer o que lhe agrada — sempre, em qualquer lugar e para sempre.

Soberania de Deus significa que, se existe alguém neste vasto mundo de pecadores que deveria estar inquieto

A soberania de Deus

e intranquilo em uma hora como esta, eu diria que são os cristãos. Não devemos estar sob o jugo do receio e da preocupação, porque somos filhos de um Deus que é sempre livre para fazer o que lhe agrada. Não há nenhuma corda, corrente ou obstáculo para Deus, porque ele é absolutamente soberano.

Deus é livre para levar a bom termo os seus propósitos eternos. Creio nisso desde que me converti ao cristianismo. Tive bons professores que me ensinaram a crer nisso com alegria cada vez maior. Deus não decide lidar com uma situação à medida que ela se desenvolve, não é impulsivo, não segue qualquer coisa que lhe venha à mente nem permite que uma ideia proponha outra. Deus trabalha de acordo com os planos que ele propôs em Cristo Jesus antes de Adão andar pelo jardim, antes da criação do Sol, da Lua e das estrelas. Deus, que vive todos os nossos amanhãs e carrega o tempo no peito, está pondo em prática seus propósitos eternos.

Os propósitos eternos de Deus não mudam, no entanto os mestres proféticos podem mudar de ideia, ou qualquer coisa que um teólogo contemporâneo venha a decidir pode passar a ser a coisa certa para se acreditar nela. O Deus todo-poderoso já nos deu sua teologia, e não desperdiço um minuto de meu tempo com a teologia contemporânea. Acredito na teologia, que certamente é contemporânea, mas é também tão antiga quanto o trono de Deus e tão eterna quanto as eternidades que virão. E nós, cristãos, estamos nesse rio poderoso, sendo conduzidos pelos propósitos soberanos de Deus.

A soberania de Deus inclui toda autoridade e todo poder. Penso que você é capaz de entender imediatamente que Deus nunca poderia ser soberano sem ter o poder de realizar sua vontade ou sem ter autoridade para exercer seu poder. Os reis, presidentes e outros que governam homens precisam ter autoridade para governar e poder para cumprir essa autoridade. Um governador não pode levantar-se e dizer: "Faça isto, por favor, se estiver disposto". Ele diz: "Faça", e tem o respaldo do exército e da polícia. Ele tem autoridade para ordenar e poder para cumprir suas ordens. E Deus tem de ter ambos.

Não posso imaginar um Deus que tenha poder e não tenha autoridade. Sansão foi um homem que tinha poder, mas nenhuma autoridade, e não sabia o que fazer com o poder. Há homens que têm autoridade, mas não têm poder. A Organização das Nações Unidas é um exemplo patético de autoridade sem poder. No Congo, por exemplo, a ONU levanta-se e diz: "Ordenamos que vocês façam isto e aquilo", mas os congoleses riem e dizem: "Vocês e quem mais?" e fazem o que lhes agrada. Autoridade sem o poder de exercê-la é uma piada. O poder sem autoridade coloca o homem em posição de não conseguir fazer nada. Mas o Deus todo-poderoso, para ser soberano, tem de ter autoridade e poder.

Já falamos sobre como Deus é infinito em suas perfeições, uma das quais é seu poder absoluto. Deus é onipotente e tem todo o poder que existe. A próxima pergunta é: Deus tem autoridade? Penso que seria tolice discutir esse assunto. Pode alguém imaginar que Deus tenha de pedir permissão? Pode alguém imaginar que o grande Deus todo-poderoso, criador do céu e da terra, tenha de enviar um memorando a uma autoridade maior e perguntar: "Posso transportar esta estrela para lá ou fazer algo com esta galáxia?". Você pode imaginar Deus submetendo-se a uma autoridade maior? A quem Deus se submeteria? Quem é a autoridade mais alta de todas? Quem existia antes de Deus existir? Quem é mais poderoso que o Todo-poderoso? Diante de que trono Deus se ajoelharia para ter autoridade? Não, não há ninguém maior que ele! "[...] Eu sou o primeiro e eu sou o último; além de mim não há Deus" (Isaías 44.6).

Há uma religião, o zoroastrismo, que, para mim, é a maior religião não cristã e confusa em suas revelações. O zoroastrismo defende uma dualidade teológica, ou seja, diz que há dois deuses, um bom e um mau. É uma forma simples de contornar as coisas. Ahura Mazda é o deus bom, e tudo o que ele fez é bom. Mas havia um deus velhaco chamado Arimã. Para cada ato bom de Ahura Mazda, Arimã praticava um ato mau. Ahura Mazda fez a luz solar, e Arimã a neve. Ahura Mazda fez o amor, e Arimã o ódio. Ahura Mazda fez a vida, e Arimã a morte. Havia dois deuses, e ambos foram deuses criadores.

Ora, o Deus todo-poderoso declara que não é assim, porque ele é o único Criador. A Bíblia diz o seguinte a respeito de nosso Senhor Jesus Cristo:

> Pois nele foram criadas
>   todas as coisas
> nos céus e na terra,
>   as visíveis e as invisíveis,
> sejam tronos sejam soberanias,
>   poderes ou autoridades;
> todas as coisas foram criadas
>   por ele e para ele.
> Ele é antes de todas as coisas,
>   e nele tudo subsiste (Colossenses 1.16,17).

"No princípio Deus criou os céus e a terra" (Gênesis 1.1) e Deus fez todas as coisas que nela há. Não havia nenhum outro deus criador. Esse é um atributo que Deus não cede a ninguém. Deus pode partilhar alguns de seus atributos, como amor, misericórdia e bondade. Mas não pode partilhar o atributo que o capacita a criar. Somente o Deus todo-poderoso é o Criador. Não há dois deuses; apenas um.

O pecado, porém, está solto no Universo, e não entendo isso. Ele é chamado de "o mistério da iniquidade" (2 Tessalonicenses 2.7) e dizem que é atuante. Não entendo esse mistério da iniquidade. Não sei por que um Deus santo permitiria deixar essa coisa iníqua solta no mundo que ele criou. Mas sei que Deus a reprime e que os planos de Deus a levam em conta. Sei também que, quando Deus traçou seus planos para o céu e a terra e para criar Adão, ele sabia da existência do pecado e de sua presença desenfreada e fugitiva no Universo, portanto levou-o em conta. Ele não pode mudar os propósitos de Deus nem frustrar os planos de Deus da mesma forma que um bandido escondido nas selvas do Canadá não pode evitar que esse país funcione.

A soberania de Deus e o livre-arbítrio

Se Deus é soberano, como fica o livre-arbítrio? Talvez você prefira não se preocupar com isso. Talvez prefira apenas descansar. Mas, citando alguém mais, a missão do profeta de Deus é confortar os aflitos e afligir os que estão confortáveis. Se você está confortável, talvez necessite ser afligido. E uma das melhores maneiras de afligi-lo é fazê-lo pensar nas coisas divinas.

A questão do livre-arbítrio do homem *versus* soberania de Deus pode ser explicada assim: a soberania de Deus significa que ele está no controle de tudo, que ele planejou tudo desde o início. O livre-arbítrio do homem significa que ele pode, sempre que quiser, fazer a escolha que quiser (dentro das limitações humanas, claro). O livre-arbítrio pode, aparentemente, afrontar os propósitos de Deus e ir contra a vontade de Deus. Então, como resolvemos essa aparente contradição?

Ao longo dos anos, duas divisões da igreja tentam resolver esse dilema de maneiras diferentes. Uma divisão ressalta a soberania de Deus, crendo que Deus planejou tudo desde o início, que Deus ordenou que alguns fossem salvos e outros não, que Cristo morreu por aqueles que seriam salvos, mas não morreu pelos que não seriam salvos. É nisso que os seguidores de João Calvino acreditam. Por outro lado, há aqueles que dizem que Cristo morreu por todos e que o homem é livre para fazer sua escolha. Mas os que ensinam a soberania de Deus dessa forma exclusiva dizem que, se o homem é livre para fazer uma escolha, então Deus não é soberano. Porque, se o homem pode fazer uma escolha que não é do agrado de Deus, então Deus não tem um caminho próprio.

Tenho meditado nisso e encontrei uma forma de resolver o dilema. Não conheço ninguém que tenha expressado essa mesma teoria em pregações ou por escrito. Os teólogos podem me esclarecer o assunto se eu estiver errado. (Certa vez, preguei sobre o tema na presença do dr. Martyn Lloyd-Jones, uma das grandes autoridades inglesas em teologia, e ele não contestou; apenas sorriu. Não disse que acreditava nem que não acreditava!) Mas eu gostaria de repassar o assunto a você e saber sua opinião.

Soberania de Deus significa liberdade absoluta, certo? Deus é absolutamente livre para fazer o que quiser — em qualquer lugar, a qualquer hora, sempre. O livre-arbítrio do homem significa que ele pode fazer qualquer escolha que quiser, mesmo que a escolha seja contrária à vontade de Deus. É aí que os teólogos batem cabeça como dois cervos na selva e lutam até morrer. Recuso-me a bater cabeça nesse dilema! Meu entendimento é este: o Deus todo-poderoso é soberano, livre para fazer o que lhe agrada. Entre as coisas que lhe agradam fazer é dar-me liberdade para eu fazer o que me agrada. Quando faço o que me agrada, estou cumprindo a vontade de Deus, sem contestá-la, porque, em sua soberania, Deus concedeu-me, soberanamente, liberdade para fazer escolhas.

Mesmo que a escolha que eu faça não seja aquela que Deus faria para mim, obedeço à sua soberania quando faço a escolha. E posso fazer a escolha porque o grande Deus soberano, que é completamente livre, me disse: "Em minha liberdade soberana, concedo-lhes um pouco de liberdade. 'Escolham hoje a quem irão servir' (Josué 24.15). Seja boa, seja má, a escolha é sua. Siga-me ou não me siga, venha comigo ou volte. Vá para o céu ou para o inferno".

A soberania de Deus colocou a decisão em seu colo e disse: "A escolha é sua; você é quem a faz". Quando faço uma escolha, estou respeitando a soberania de Deus, porque ele deseja soberanamente que eu seja livre e faça escolhas. Se eu escolher ir para o inferno, não é o que o amor de Deus teria escolhido, mas isso não contesta nem cancela sua soberania. Por esse motivo, coloco João Calvino em uma das mãos e Jacó Armínio em outra e sigo em frente. (Nenhum deles caminharia comigo, tenho certeza, porque Calvino diria que sou muito arminiano, e Armínio diria que sou muito calvinista!)

No entanto, sou feliz no meio-termo. Creio na soberania de Deus e na liberdade do homem. Creio que Deus é livre para fazer o que lhe agrada e creio que, em um sentido limitado, ele deu liberdade ao homem para fazer o que lhe agrada — dentro de certo limite, mas não muito amplo. Afinal, você não é livre para fazer muitas coisas. Você é livre para fazer escolhas morais. É livre para decidir a cor da gravata que vai usar, o que vai comer e a pessoa com quem vai se casar — se

A soberania de Deus

ela concordar, claro. É livre para fazer algumas coisas, mas não muitas. E as coisas que é livre para fazer são dádivas de Deus, que é totalmente livre. Portanto, a qualquer momento que eu faça uma escolha, estou respeitando a soberania que Deus me concedeu e, dessa forma, respeitando e cumprindo a soberania de Deus.

Para ilustrar o que estou falando, imagine um navio saindo de Nova York com destino a Liverpool, Inglaterra, com mil passageiros a bordo. Eles vão apreciar a viagem agradável e tranquila. Alguém a bordo — normalmente o capitão — é a autoridade que tem em mãos os documentos que dizem: "Você deve conduzir este navio até o porto de Liverpool".

Depois de partirem de Nova York e dos acenos de despedida, a próxima parada é Liverpool! É isso! Eles estão navegando. Logo não verão mais a Estátua da Liberdade, mas ainda não conseguem ver a costa inglesa. Estão navegando no oceano. O que estão fazendo? Há alguém preso em correntes? O capitão está andando de um lado para o outro com uma vara na mão para mantê-los em fila? Não. Ali há uma quadra de *shuffleboard*,[1] mais adiante, uma quadra de tênis e uma piscina. Aqui você pode ver pinturas; mais adiante, pode ouvir música.

Os passageiros são perfeitamente livres para andar por onde quiserem no convés do navio. Mas não são livres para mudar o rumo do navio. Seu destino é Liverpool, não importa o que eles fizerem. Podem saltar do navio se quiserem, mas, se permanecerem a bordo, chegarão a Liverpool — ninguém pode mudar isso. Ainda assim, estão completamente livres dentro dos limites do navio.

---

[1] Modalidade esportiva em que dois competidores lançam discos, com o auxílio de um taco, para dentro de um espaço triangular. [N. do T.]

Da mesma maneira, você e eu seguimos nossa vida simples. Nascemos, e Deus diz: "Lancei você no mar desde a praia de nascimento. Você vai chegar ao pequeno porto que se chama morte. Nesse ínterim, você é livre para brincar quanto quiser. Lembre-se apenas de que vai ter de responder pelo que fez quando chegar lá". Então, agimos como se tivéssemos poder ou autoridade e fazemos exigências, declarando que podemos fazer o que nos agrada. Vangloriamo-nos de nossa liberdade. Temos um pouco de liberdade, tudo bem, mas lembre-se: não podemos mudar o caminho do Deus todo-poderoso. Deus disse que aqueles que seguem Jesus Cristo e creem nele serão salvos, e aqueles que se recusarem serão condenados. Já está resolvido — eterna e soberanamente resolvido. Mas, nesse meio-tempo, você e eu temos liberdade de fazer o que queremos. Embora a maioria das pessoas pense muito pouco no assunto, vamos responder por isso um dia, de acordo com a vontade soberana de Deus.

Deus tem alguns planos que vão ser cumpridos. "[...] O seu caminho está no vendaval e na tempestade, e as nuvens são a poeira de seus pés" (Naum 1.3). Quando Deus põe seus planos em prática, ele se move em determinada direção. Quando o Inimigo chega (exercendo a pouca liberdade que Deus lhe deu para ser inimigo de Deus) e intercepta a vontade e o propósito de Deus, ocorre um problema. Enquanto andamos segundo a vontade de Deus, tudo corre tranquilamente. Quando, porém, nos desviamos da vontade de Deus, temos um problema nas mãos.

Deus criou o céu e a terra em Gênesis 1.1, mas depois houve uma lacuna misteriosa entre Gênesis 1.1 e Gênesis 1.2: "[...] trevas cobriam a face do abismo, e o Espírito de Deus se movia sobre a face das águas". O que aconteceu

A soberania de Deus

entre os versículos 1 e 2? Talvez tenha sido quando ocorreu a grande queda dos lugares celestiais. Talvez tenha sido quando ocorreu a queda de Satanás e seus anjos, que cobriram o mundo de trevas. Então, o Deus todo-poderoso moveu-se nas trevas, e o Espírito de Deus pairou sobre a face das águas. "Disse Deus: 'Haja luz', e houve luz." (Gênesis 1.3.) Deus iniciou uma obra de recriação; recriou a terra, colocou o homem nela e recomeçou todas as coisas.

Então, houve a Queda, e parecia que o homem estava perdido para sempre. Acho que Milton estava certo em sua obra *Paraíso perdido* quando descreveu Satanás dizendo: "Penso que posso ferir mais Deus se ferir a raça humana em vez de tentar feri-lo". Assim, Satanás desistiu da ideia de conquistar o céu por meio de ataque militar; decidiu, então, entrar no jardim e tentar a mulher. Depois que a raça humana pecou, parecia que os planos de Deus se tornaram controvertidos mais uma vez e que Deus não podia levar seu plano adiante de povoar este mundo com pessoas feitas à sua imagem.

Certa vez, ouvi um pregador do Sul descrever o primeiro Adão como uma roda girando em torno de um eixo. Quando a roda se deslocou do eixo, Deus colocou o último Adão no lugar. É uma boa descrição. Quando o primeiro Adão foi enganado, o segundo Adão entrou em cena. Na verdade, esse era o plano de Deus desde o início da Criação. Deus abriu caminho no vendaval e na tempestade e transformou as nuvens da história em poeira de seus pés.

Quando os israelitas estavam no Egito, Deus quis levá-los de volta à terra prometida. Ele disse: "[...] Deixe ir o meu povo [...]" (Êxodo 7.16). O Egito, porém, exercendo a pequena autoridade que Deus lhe permitiu ter, recusou-se a deixar o povo ir. Então, vieram as nuvens que eram a poeira dos pés de Deus: as dez pragas terríveis que Deus enviou do céu para destruir os dez deuses do Egito. Quando tudo terminou, houve morte em todos os lares do Egito, mas Israel foi liberto, cantando o cântico que se encontra no capítulo 15 de Êxodo. Eles eram um povo livre no outro lado do mar Vermelho, ao passo que todos os homens dos exércitos terríveis do Egito estavam mortos.

Quando a história segue com Deus, tudo vai bem. Quando a história segue o caminho contrário ao de Deus, há tempestade, inundação e fogo. Mas, quando tudo termina, Deus tem seu caminho no vendaval e na tempestade e faz das nuvens a poeira de seus pés.

Quando Jesus Cristo, nosso Senhor, nasceu, penso que ele era um bebê comum que não conseguia firmar a cabeça no lugar, não falava, não tinha dentes e, suponho, tinha pouco cabelo — uma pobre criança indefesa! Se o tivessem deixado sem cuidados por pouco tempo, ele teria morrido. Precisava de cuidados, como todos os bebês. E não teria vivido muito tempo depois que Herodes decretou que todos os bebês de Belém deviam ser mortos (v. Mateus 2.16). Nesse ponto, o Deus todo-poderoso permitiu, na ironia da história, que aquela criaturinha humana, tão pequenina que, para dormir, tinha de ser amamentada no seio de sua mãe, se colocaria contra todo o Império Romano.

Veja quem venceu! Algumas décadas depois, o Império Romano transformou-se em pó e ruína, porém o bebê Jesus cresceu e ficou adulto, foi crucificado e ressurgiu dentre os mortos. Deus ressuscitou-o e colocou-o assentado nas alturas, para que o bebê que um dia se opôs ao Império Romano olhe agora para baixo, para um império que não mais existe.

A soberania de Deus

Lembro-me de que, nos tempos de Stalin [ex-líder da antiga União Soviética] consta que ele disse: "Vamos tirar aquele deus barbudo do céu". Mas o Deus que olhou para o caos abaixo e disse: "Haja luz", que olhou para o Egito e disse: "Deixe o meu povo ir", que olhou para o Império Romano e disse: "Você não pode matar meu Filho", mas permitiu que o império se autodestruísse — aquele mesmo Deus olhou silenciosamente para Stalin e o ouviu dizer: "Vamos tirar aquele deus barbudo do céu". Mas o grande Deus todo-poderoso continua no seu céu.

Stalin, por outro lado, está morto. Pegaram seu corpo e o expuseram no Kremlin — aquele mesmo que ia "tirar aquele deus barbudo do céu". Mas o Deus que faz dos vendavais da história a poeira de seus pés olha com um sorriso de piedade para o pior homem que já existiu.

Em Apocalipse, está escrito (como amo esta passagem; é bela para mim, embora eu não a compreenda totalmente):

> Depois dessas coisas olhei, e diante de mim estava uma porta aberta no céu. A voz que eu tinha ouvido no princípio, falando comigo como trombeta, disse: "Suba para cá, e mostrarei a você o que deve acontecer depois dessas coisas". Imediatamente me vi tomado pelo Espírito, e diante de mim estava um trono no céu e nele estava assentado alguém. Aquele que estava assentado era de aspecto semelhante a jaspe e sardônio. Um arco-íris, parecendo uma esmeralda, circundava o trono (4.1-3).

O arco-íris é apenas um meio círculo — começa no horizonte, forma um arco e termina no horizonte. Mas o arco-íris mencionado em Apocalipse fez um círculo completo, como se Deus estivesse dizendo: "O arco-íris verde-esmeralda, que significa imortalidade e eternidade, circunda o meu trono". Ninguém é capaz de destruir Deus.

Soberania na crucificação

Vemos a soberania de Deus na morte de Jesus. Ele teve de viver na terra entre os homens. Tinha 33 anos de idade, e chegou o dia em que deveria, segundo o povo pensava, ser rei de Israel. Tentaram "proclamá-lo rei à força" (João 6.15), mas ele disse "não". Levaram-no, então, para ser pregado na cruz.

Certa vez, ouvi um pregador galês dizer — e penso que ele está certo — que os discípulos jamais imaginaram que alguém pudesse pregar Jesus em uma cruz de madeira, que jamais acreditaram que Jesus morreria. Acreditavam que aquele Homem, aquele maravilhoso Homem que tinha o poder de acalmar as ondas do mar, curar enfermos, expulsar demônios e fazer os cegos enxergarem, não poderia morrer. Ou, se morresse, acreditavam que ressuscitaria imediatamente em majestade e seria rei de Israel. No entanto, lá estava ele, pendurado em uma cruz. Eles chegaram e o tiraram da cruz. Com grande tristeza e lágrimas, envolveram seu corpo em um lençol para ser sepultado. Usaram perfumes para tentar dar-lhe uma espécie de embalsamamento e o colocaram no sepulcro novo de José [de Arimateia].

Poucos dias depois, dois homens caminhavam sozinhos pela estrada em direção a Emaús. Enquanto caminhavam, um Homem chegou, pôs-se ao lado deles e disse:

— Por que vocês estão tão tristes? Por que falam em voz tão baixa? Por que parecem tão deprimidos? (paráfrase minha).

Eles responderam:

— Você deve ter chegado há pouco em Jerusalém. Não sabe que surgiu um grande profeta e que acreditávamos que ele era o Filho de Deus? E não acreditávamos que ele morreria, ou, se morresse, acreditávamos que ressuscitaria. Hoje já é o terceiro dia, e nada aconteceu. Todas as nossas esperanças caíram por terra. Não há nada, a não ser um desânimo desolador diante de nós.

Então, o Homem começou a conversar com eles. Enquanto falava, ele agia como se fosse continuar a caminhada, portanto os dois o convidaram para comer com eles. Quando o Homem partiu o pão e viram os sinais dos pregos em suas mãos, eles se entreolharam, e o Homem desapareceu da vista deles. Levantando-se, disseram: "Não nos queimava o coração dentro do peito?" (v. Lucas 24.13-32).

O Deus todo-poderoso desceu do céu e realizou o mais maravilhoso de todos os milagres: levantou da sepultura um Homem que havia morrido e glorificou-o. Assim, o Deus soberano voltou a fazer o seu caminho no vendaval e na tempestade.

Hoje estamos chegando a um período da história como nunca houve desde o conflito entre Jesus Cristo e o Império Romano. O Deus que vivia naquela época vive hoje, portanto não tenho medo nem dúvida; posso dormir tranquilamente porque creio que Deus tem seus planos e os porá em prática.

Quais são os planos de Deus? Por um lado, há as promessas de Deus a Abraão e a Israel. Deus as fez e Deus as cumprirá. Deus disse a Abraão que seus descendentes possuiriam a terra. E disse a Israel que ele reinaria sobre a casa de Jacó para sempre. Creio que Deus cumprirá suas promessas a Abraão e a Israel. Para mim, não existe nenhuma possibilidade de impedir que Deus as cumpra.

Deus também decretou que um grupo redimido seria chamado e glorificado. Logo após a Segunda Guerra

Mundial, os missionários começaram a dizer que a atividade missionária duraria apenas mais alguns anos. Os jovens que sentiram o chamado para trabalhar no campo missionário não obedeceram ao chamado porque disseram: "Que adianta me preparar para o campo missionário? Parece que as portas estão se fechando, uma após outra".

No entanto, você pode ter certeza absoluta de que Deus, que é perfeitamente livre, em qualquer lugar, o tempo todo, para fazer o que quiser, cumprirá seus propósitos. E um desses propósitos é escolher pessoas redimidas de toda língua, povo, tribo, nação, cor, raça e origem étnica do mundo inteiro (v. Apocalipse 5.9). Deus as tornará semelhantes a seu santo Filho, e essas pessoas serão a noiva de seu Filho. Jesus Cristo, o Filho de Deus, as apresentará ao Pai — resgatadas, redimidas e purificadas — porque eram castas e andavam com o Cordeiro. Acredito nisso.

Não creio que as divisões na igreja ou os falsos "ismos" que se encontram em todos os lugares vão mudar ou atrapalhar o propósito de Deus. Ele terá seu caminho no vendaval e na tempestade, e as nuvens serão a poeira de seus pés.

Deus também declarou que os pecadores serão eliminados da terra (v. Salmos 104.35). Hoje os pecadores estão profundamente mergulhados no pecado. O crime organizado nos Estados Unidos está agindo de costa a costa. Os criminosos estão tão bem organizados que as autoridades, mesmo o FBI, não consegue dominá-los. Se os prendem, a Suprema Corte os solta por insuficiência de provas. O pecado está muito bem arraigado no mundo — organizado como um câncer que começa a agir no corpo humano.

Ouvi falar que o câncer se espalha pelo corpo da pessoa até estender suas raízes em todas as partes, como um polvo.

A soberania de Deus

É claro que o paciente não vai durar muito. Se não fosse a soberania de Deus conduzindo o mundo, a raça humana não duraria tanto tempo. O câncer da iniquidade, semelhante a qualquer doença destruidora, tem raízes em todos os lugares. Deus, porém, diz que vai eliminar os pecadores da terra. Haverá "novos céus e nova terra, onde habita a justiça" (2Pedro 3.13). Deus ordenou que a terra será renovada e os pecadores serão eliminados.

Nada nem ninguém é capaz de impedir os planos de Deus. Você pode dizer: "Deus tem boas intenções, tem poder e autoridade, mas alguma circunstância imprevista pode atrapalhar seus planos". Mas não há circunstâncias imprevistas para Deus! Quando você começa a fazer uma caminhada pelo quarteirão, pode aparecer um gato preto à sua frente; um policial pode interpelá-lo; você pode cair morto; um carro pode invadir a calçada e quebrar-lhe uma perna. Nunca se sabe. As circunstâncias imprevistas estão por toda parte, ao seu redor e ao meu redor, mas o Deus soberano não quer saber de circunstâncias imprevisíveis. Ele vê o fim desde o começo. Nunca precisa perguntar o que há em um homem; ele conhece cada homem. Portanto, não pode haver circunstâncias imprevisíveis.

Também não há acidente aos olhos de Deus, porque a sabedoria de Deus evita acidentes. Se você estiver dirigindo um veículo na rodovia a 65 quilômetros por hora e um pneu estourar, o veículo poderá capotar e você poderá cair em uma vala. Alguém errou na fabricação daquele pneu, e ele se rompeu. (Eu trabalhava na área de produção de pneus em uma fábrica de borracha em Akron, Ohio; com o acabamento que lhes dávamos, é de admirar que não estourassem antes de sair da fábrica!) Mas a sabedoria do Deus todo-poderoso nunca estoura.

O Deus todo-poderoso sabe o que está fazendo. Ele é totalmente sábio, e não pode haver nenhum acidente. Ninguém pode cancelar uma ordem.

Dizem que um dos maiores problemas durante a Segunda Guerra Mundial era cancelar ordens. Havia muitos generais exigentes — Montgomery, Alexander, Eisenhower — e eles tinham muitas tarefas a cumprir. Um deles dava uma ordem, e o outro a cancelava. Você pode ler relatos em muitos lugares. Um camarada começava a fazer uma coisa, e outro dizia: "Espere um pouco! Recebi uma ordem de fulano cancelando essa aí". Então, o outro camarada dizia: "Recebi uma ordem de outra pessoa dizendo que tenho de fazer isso". Eles rodavam em círculos.

Eu lhe pergunto: quem pode cancelar uma ordem dada pelo grande Deus todo-poderoso? Quando o Deus soberano diz que vai ser assim, esse é o caminho, e ninguém pode mudá-lo!

Alguns gostariam de saber se Deus poderia errar em razão de fraqueza. Mas o Deus onipotente não pode ser fraco, porque ele tem todo o poder que existe. Bombas de hidrogênio, bombas de cobalto, bombas atômicas e todas as outras — não são nada! São bolinhas de gude com as quais Deus brinca. Deus, em sua infinita força, sabedoria, autoridade e poder, tem seu caminho no vendaval e na tempestade. Esse é o significado de soberania.

O que tudo isso significa para você e para mim? Significa que, se você se retirar da igreja contrariando a vontade de Deus, Deus não deseja que você faça isso, mas deseja que você seja livre para fazê-lo. E, quando você escolhe livremente andar no sentido contrário ao caminho de Deus, escolhe livremente seguir na estrada da perdição. Há uma certeza

A soberania de Deus

a respeito do céu e do inferno — ninguém está em um desses lugares por acidente. O inferno é habitado por pessoas que escolheram ir para lá. Talvez não tenham escolhido o destino, mas escolheram o caminho. Estão lá porque amam o caminho que conduz às trevas. E foram livres para escolher esse caminho porque o Deus soberano lhes garantiu essa grande liberdade. Todos os que se encontram no céu estão lá porque fizeram essa escolha. Ninguém acorda e se vê no céu por acidente e diz: "Nunca planejei vir para cá". Não! O homem rico morreu e, no inferno, ergueu os olhos; o pobre e bom homem morreu e foi levado para junto do seio de Abraão (v. Lucas 16.22,23). Cada um deles foi para o lugar a que pertencia. Quando Judas morreu, foi "para o lugar que lhe era devido" (Atos 1.25). E, quando Lázaro morreu, foi para seu lugar — lugares que ambos haviam escolhido. Lembre-se: quem não está do lado de Deus está no lado perdedor.

Tudo isso se aplica à questão de dedicação e vida mais profunda, de obediência ao Senhor. Sorrimos, encolhemos os ombros e fazemos de conta que é opcional — algo que poderíamos ou não fazer, conforme nos agrada. Mas a dedicação à vontade de Deus é uma necessidade absoluta, se você deseja estar do lado de Deus. Se está do lado de Deus, não pode perder; se está no outro lado, não pode vencer. Simples assim. Não importa quanto somos bons e justos, quanto oferecemos às missões, quanto somos dignos; se nos opusermos a Deus, não poderemos vencer. Mas, se nos submetermos e passarmos para o lado de Deus, não poderemos perder.

O homem que está com Deus não pode perder, porque Deus não perde. Deus é o Deus soberano que tem seu caminho no vendaval e na tempestade. E, quando a tempestade passar e o vendaval da história se desfizer, o Deus que está sentado no trono com o arco-íris ao redor continuará sentado naquele trono. Ao lado dele, haverá um grupo de redimidos que escolheram o caminho de Deus; o céu não estará repleto de escravos. Os que marcham nos exércitos do céu não foram sorteados. Todos estarão lá porque exerceram a liberdade soberana de escolher acreditar em Jesus Cristo e submeter-se à vontade de Deus.

Conversei com um jovem no último domingo à noite que, a esse propósito, me disse: "Não consigo dizer sim a Deus. Não consigo me submeter". Ele é um rapaz muito fino, agradável e inteligente. Mas não podia dizer sim ao lado vencedor. Portanto, estava dizendo sim ao lado perdedor. Se você diz sim a Deus, não pode perder. E, se diz não a Deus, não pode vencer.

Se esse for seu problema, você está lutando com Deus. Você pergunta: "Por que não sou cheio do Espírito Santo?". Porque está lutando com Deus. Deus quer que você siga esse caminho, mas você vai até certo ponto e se desvia. Há sempre uma controvérsia entre você e Deus.

Você está do lado de Deus — completamente, inteiramente, para sempre? Já lhe entregou tudo — seu lar, seus negócios, sua escola, sua escolha de um parceiro ou parceira na vida? Escolha o caminho de Cristo, porque Cristo é Senhor, e o Senhor é soberano. É tolice escolher qualquer outro caminho. É loucura tentar passar a perna em Deus, tentar lutar contra ele. "Por que contendes com ele [...]?" (Jó 33.13, ARA.)

CAPÍTULO 9

A fidelidade de Deus

> *Cantarei para sempre o amor do Senhor; com minha boca anunciarei a tua fidelidade por todas as gerações. Sei que [...] firmaste nos céus a tua fidelidade. [...] a tua fidelidade na assembleia dos santos. [...] Ó Senhor, Deus dos Exércitos, quem é semelhante a ti? És poderoso, Senhor, envolto em tua fidelidade. [...] A minha fidelidade e o meu amor o acompanharão, e pelo meu nome aumentará o seu poder.* (Salmos 89.1,2,5,8,24)

> *Se confessarmos os nossos pecados, ele é fiel e justo para perdoar os nossos pecados e nos purificar de toda injustiça.* (1João 1.9)

> *Se somos infiéis, ele permanece fiel, pois não pode negar-se a si mesmo.* (2Timóteo 2.13)

> *Aquele que os chama é fiel e fará isso.* (1Tessalonicenses 5.24)

Deus nunca está desatualizado. Seja qual for a estação do ano, é sempre apropriado pregar a respeito de Deus. A fidelidade de Deus é um dos atributos do Deus supremo, de quem somos e a quem afirmamos servir. Os versículos acima são apenas alguns dos textos que falam da fidelidade de Deus. Pretendo definir fidelidade, tentar aplicá-la e mostrar o que significa para nós.

Fidelidade significa que Deus garante que nunca será ou agirá de modo incoerente consigo mesmo. Isso pode ser classificado como um axioma. É bom para você agora e bom quando você estiver morrendo. Será bom para lembrar quando você ressuscitar dentre os mortos e bom para todas as eras e milênios que virão. Deus nunca cessará de ser o que é e quem ele é. Tudo o que Deus diz ou faz está de acordo com sua fidelidade. Deus será sempre verdadeiro consigo mesmo, às suas obras e à sua criação.

Deus tem um critério próprio. Não imita ninguém nem sofre influência de ninguém. Talvez isso seja difícil de ser entendido nesta época degenerada, na qual introduzimos a ideia de *vip* [abreviatura em inglês para "pessoa muito importante"], o homem de influência. E eles dizem com grosseria: "Não importa o que você conhece; importa quem você conhece". Mas você não pode influenciar Deus de maneira alguma. E Deus não imita ninguém — nunca é forçado a agir fora do normal. Nada pode forçar Deus a agir de forma contrária à sua fidelidade a si mesmo e a nós — ninguém, nenhuma circunstância, nada.

Se eu imaginar que alguém é capaz de influenciar Deus de maneira tão forte a ponto de fazê-lo mudar de ideia ou constrangê-lo a fazer qualquer coisa que não esteja em seus planos, ou qualquer coisa que ele não seja, então estou pensando em alguém maior que Deus — o que é um óbvio absurdo. Quem pode ser maior que o maior, mais alto que o mais alto ou mais poderoso que o mais poderoso?

A fidelidade de Deus, assim como sua imutabilidade, garante que ele nunca deixará de ser quem é e o que é. Você deve lembrar-se do que eu disse sobre a imutabilidade de Deus — que, se Deus mudasse de alguma maneira, teria de mudar em uma das três direções: do melhor para pior, do pior para o melhor ou de uma forma de ser para outra. Por ser absolutamente santo e perfeitamente santo, Deus não poderia ser menos que santo, portanto não poderia mudar do melhor para pior. E Deus não poderia ser mais santo que é, portanto não poderia mudar do pior para melhor. Também Deus, por ser Deus, não uma criatura, não poderia mudar sua forma de ser. A perfeição de Deus garante isso. A fidelidade de Deus também, porque Deus nunca pode deixar de ser quem ele é e o que ele é.

Ora, essa afirmação pode parecer um pouco simples, mas, se for colocada dentro de você e se você se firmar nela, ficará feliz em saber disso na próxima vez em que estiver em uma situação difícil. Você pode viver ouvindo conversas e discursos e um pouco de teologia mal compreendida, até que a pressão chegue. E, quando a pressão chegar, você vai querer saber quem é o Deus a quem está servindo.

Este é o Deus a quem você está servindo: tudo o que Deus diz e faz deve estar de acordo com todos os seus atributos, inclusive com o atributo da fidelidade. Cada pensamento de Deus, cada palavra sua, cada ato seu deve estar de acordo com sua fidelidade, sabedoria, bondade, justiça, santidade, amor, verdade e todos os seus outros atributos.

É sempre errado magnificar um aspecto do caráter unitário de Deus e diminuir outro. O homem de Deus que sobe ao púlpito deve sempre corrigir esse erro, o mais que puder. Ele deve certificar-se de que devemos ver Deus por completo, em toda a sua perfeição e glória. Se magnificarmos um atributo e diminuirmos outro, teremos um conceito assimétrico de Deus, um Deus dissonante — isto é, nós o veremos de forma dissonante.

Se você olhar para uma árvore reta e alta e usar lentes incorretas, a verá torta. E poderá ver Deus torto, mas a deformidade está em seus olhos, não em Deus. Por exemplo, se acharmos que Deus é todo justiça, teremos um deus de terror e fugiremos dele, apavorados. Houve uma época em que a igreja teve uma influência decisiva sobre o inferno, julgamento, pecado e tudo mais. Trememos ao pensar em como a igreja atravessou esse período, quando ela só falava da justiça de Deus. Deus era considerado um tirano, e o Universo, uma espécie de Estado totalitário, com Deus no posto principal, governando com bastão de ferro. Se pensássemos apenas na justiça de Deus, teríamos esse conceito.

Então, por outro lado, houve uma reação a isso, e chegou uma época em que somente pensávamos em Deus como amor. "Deus é amor" (1João 4.16) passou a ser nosso texto principal. Não temos mais um deus de terror, mas um deus sentimental, vacilante — o deus do cientista cristão.[1] Deus é amor, e o amor é deus, e tudo é amor, e tudo é deus, e deus é tudo. Muito em breve não sobrará nada. É como o algodão-doce que compramos no circo — tudo é doce e nada mais que doce. Magnificamos o amor de Deus sem lembrar que Deus é justo.

Ou, se acharmos que Deus é só bondade, teremos então o sentimentalismo fraco dos modernistas e dos liberais. O deus dos liberais e dos modernistas não é o Deus da Bíblia, porque, para ser o deus no qual eles creem, é preciso desconsiderar tudo o que Deus fez no Antigo Testamento.

---

[1] Seguidor do movimento religioso chamado Ciência Cristã, fundado em 1879 por Mary Baker Eddy (1821-1910), que afirma, entre outras coisas, que a cura espiritual não é um milagre, mas efeito da compreensão da onipotência e do amor de Deus, os quais permanecem tão reais e demonstráveis tanto hoje quanto nos tempos bíblicos. [N. do T.]

A fidelidade de Deus

Deus não poderia ter criado o Sol e conseguido que ele ficasse parado nem poderia ter enviado fogo sobre Sodoma e Gomorra. Dizem que foi apenas ação da natureza. Deus não poderia ter enviado um dilúvio sobre os ímpios. Dizem que não passou de uma pequena inundação, como houve no Texas algum tempo atrás. Então, para dar lugar a um deus que não é nada, a não ser bom, que se senta em um grande globo de bondade, eles tiveram de abandonar tudo o que Deus fez por meio da justiça.

Se acharmos que Deus é um deus da graça e nada mais, como as igrejas evangélicas têm achado nos últimos cinquenta anos, teremos um deus incapaz de ver distinções morais. É por isso que a igreja tem sido incapaz de ver distinções morais. Em vez de ter uma igreja separada e santa, temos uma igreja que está tão voltada para o mundo que não sabemos distinguir uma da outra.

A respeito de um importante pregador inglês, dizem que ele pregava a graça de tal maneira que rebaixava os padrões morais da Inglaterra. É totalmente possível pregar a graça na igreja até nos tornarmos tão arrogantes e impudentes quanto for possível, esquecendo que a graça é um dos atributos de Deus, mas não todos. Embora Deus seja um Deus da graça, ele é também um Deus de justiça, santidade e verdade. Nosso Deus será sempre fiel à sua natureza, porque ele é um Deus fiel.

A fidelidade é uma das maiores causas de sofrimento e infelicidade no mundo inteiro. Deus nunca será infiel. Ele não pode ser infiel. Voltemos ao livro de Gênesis, onde está escrito:

Depois Noé construiu um altar dedicado ao Senhor e, tomando alguns animais e aves puros, ofereceu-os como holocausto, queimando-os sobre o altar. O Senhor sentiu o aroma agradável e disse a si mesmo: "Nunca mais amaldiçoarei a terra por causa do homem, pois o seu coração é inteiramente inclinado para o mal desde a infância. E nunca mais destruirei todos os seres vivos como fiz desta vez.

"Enquanto durar a terra,
plantio e colheita,
frio e calor,
verão e inverno,
dia e noite
jamais cessarão" (8.20-22).

Portanto, não dê a mínima atenção a essa gente que diz que a Terra será destruída do Universo pela bomba atômica ou de hidrogênio. Não dê atenção aos avisos de que a raça humana vai ser aniquilada. Deus diz: "Enquanto durar a terra, plantio e colheita, frio e calor, verão e inverno, dia e noite jamais cessarão" (v. 22). E "Nunca mais amaldiçoarei a terra por causa do homem" (v. 21). Mais adiante está escrito:

> Então disse Deus a Noé e a seus filhos, que estavam com ele: "Vou estabelecer a minha aliança com vocês e com os seus futuros descendentes, e com todo ser vivo que está com vocês: as aves, os rebanhos domésticos e os animais selvagens, todos os que saíram da arca com vocês, todos os seres vivos da terra. Estabeleço uma aliança com vocês: Nunca mais será ceifada nenhuma forma de vida pelas águas de um dilúvio; nunca mais haverá dilúvio para destruir a terra". [...] "Quando eu trouxer nuvens sobre a terra e nelas aparecer o arco-íris, então me lembrarei da minha aliança com vocês e com os seres vivos de

todas as espécies. Nunca mais as águas se tornarão um dilúvio para destruir toda forma de vida. Toda vez que o arco-íris estiver nas nuvens, olharei para ele e me lembrarei da aliança eterna entre Deus e todos os seres vivos de todas as espécies que vivem na terra" (9.8-11,14-16).

Deus escreveu isso muito antes que eles fizessem aquela pequena bomba lá na Universidade de Chicago. Deus fez aquela aliança antes de o homem fazer ciência, e estou perfeitamente tranquilo nessa aliança. Não espero que meus filhos, netos, bisnetos ou trinetos deixem de existir. E não espero que se transformem em homens verdes com um olho no meio da testa. Espero que Deus cumpra sua promessa, porque Deus não pode deixar de cumpri-la. Deus é fiel a si mesmo e, quando faz uma promessa, ele a cumpre. Deus fez essa promessa incondicionalmente e vamos nos certificar de que isso aconteça.

Continuaremos a ter verão e inverno. Não teremos o clima da Flórida no mundo inteiro. Teremos sempre neve no inverno. Deus disse que sempre haverá verão e inverno, colheita e primavera, portanto você pode contar com isso. Deus disse, e eu acredito.

Deus disse em Salmos:

> Ele se lembra para sempre da sua aliança,
> por mil gerações, da palavra que ordenou (105.8).

Nosso Senhor disse: "[...] Enquanto existirem céus e terra, de forma alguma desaparecerá da Lei a menor letra ou o menor traço, até que tudo se cumpra" (Mateus 5.18). Creia nisso.

Este é o fato diante de nós: Deus é fiel! E permanecerá fiel porque não pode mudar. Ele é perfeitamente fiel, porque nada nele é parcial. Deus é perfeitamente tudo o que é e nunca parte do que é. Tenha certeza de que Deus será sempre fiel. Esse Deus fiel, que nunca deixou de cumprir uma promessa e nunca violou uma aliança, que nunca disse uma coisa querendo dizer outra, que nunca fez vista grossa a nada nem se esqueceu de nada, é o Pai de nosso Senhor Jesus e o Deus do evangelho. Esse é o Deus que adoramos e o Deus a respeito de quem pregamos.

A fidelidade de Deus aos pecadores

Agora vamos analisar a fidelidade de Deus em sua aplicação. Uma vez que ela se aplica aos pecadores, se você está perdido e sabe disso, Deus declarou que expulsará de sua presença todos os que amam o pecado e rejeitam seu Filho. Essa é uma promessa de Deus. Ele a declarou, advertiu e ameaçou, e assim será. Que ninguém confie em uma esperança insensata, que se baseia na crença de que Deus ameaça, mas não cumpre. Não, Deus deseja conceder-nos graça! E, às vezes, demora um pouco a fim de dar-nos mais 30 dias, mais 60 dias, para mudarmos de ideia. Mas, tão certo quanto os moinhos de Deus moem, a alma dos homens cai neles e é moída até ficar extremamente miúda. Deus move-se devagar e é muito paciente, mas prometeu que expulsará de sua presença todos os que amam o pecado, que rejeitam seu Filho e se recusam a crer.

Essa é a mensagem para o pecador que não aceita, que ama seu pecado. Há, porém outro tipo de pecador que os antigos escritores chamam de pecador que volta. O maior exemplo na Bíblia de um pecador que volta é, claro, o filho pródigo. Você se lembra do que o rapaz disse? "Pai, quero a minha parte da herança" (Lucas 15.12). Ele queria sua parte do testamento antes que o velho pai morresse. E o pai lhe deu! O rapaz pegou sua parte e foi embora, mas, quando se viu sem nada, começou a voltar.

Esse é um pecador que volta! Ele continua a ser pecador — ainda anda vestido de trapos, ainda cheira a pocilga, mas é um pecador que volta. E nosso Senhor chama os pecadores que voltam: "Venham a mim" (Mateus 11.28). As promessas e os convites do Senhor são tão válidos quanto o caráter de Deus.

D. L. Moody descobriu que, se oferecesse 1 dólar a uma criança pobre, ela recuaria e se recusaria a aceitá-lo. Não confiava em Moody o suficiente para acreditar que Moody esperava que ela aceitasse. Quando Deus faz uma promessa, pode ter certeza de que ele a cumprirá. Mas nós, que frequentamos igreja, chegamos a tal ponto de quase não acreditar em nada. Até Marta acreditava que seu irmão ressuscitaria no último dia, mas não acreditava que o Senhor o ressuscitaria naquele momento (v. João 11.24). Nós também protelamos tudo e deixamos a cargo do futuro — e então dizemos que se trata de escatologia! Sabemos que essa é uma palavra importante para os incrédulos. Imagino estar perfeitamente certo quanto a isso e ouso dizer que escatologia é uma palavra teológica relativa aos acontecimentos do fim dos tempos. Tenho, porém, notado que escatologia é uma lata de lixo na qual jogamos tudo aquilo em que não queremos crer.

Cremos em milagres, mas acreditamos neles escatologicamente, isto é, que vão acontecer um dia. Cremos que o Senhor cura os enfermos, mas longe daqui. Cremos que o Senhor se manifestará aos homens, mas o fará amanhã, depois de amanhã ou no próximo milênio. E assim jogamos tudo embaixo do tapete e continuamos a cuidar da vida. E a isso damos o nome de escatologia!

Cremos que Deus abençoará os judeus no futuro. (Tenho notado que alguns cristãos de hoje estão se afastando dessa ideia; não acreditam em nenhum futuro para Israel, mas eu acredito!) Cremos que o Senhor abençoará a igreja no dia em que ele voltar. Mas a ideia de abençoar alguém agora? Temos dificuldade de acreditar nisso.

Certa vez, eu disse em um sermão que a incredulidade é uma das coisas mais escorregadias do mundo. A incredulidade diz: "Em outro lugar qualquer, mas não aqui; em um tempo qualquer, mas não agora; outras pessoas, mas não nós". Isso é incredulidade. Queremos os milagres do Antigo Testamento, mas não acreditamos que milagres aconteçam hoje. Acreditamos em milagres amanhã ou ontem, mas permanecemos no espaço vazio entre os milagres. Creio que, se tivéssemos fé, veríamos milagres agora, embora não creia que devemos comemorar os milagres montando tendas enormes e anunciando que vamos receber um milagre!

Não creio em milagres propagados porque Deus não vai permitir que ele próprio seja objeto de propaganda. Os milagres de Deus não necessitam de propaganda. O Senhor nunca faz milagres baratos. Nunca expõe sua vontade gloriosa e misteriosa para agradar a santos carnais. Mas o Senhor está perfeitamente disposto a fazer o impossível quando seu povo ousa acreditar que ele é um Deus fiel, e sua palavra é fidedigna. Mas não aceitamos a palavra de Deus em sua totalidade.

No entanto, se você é um pecador que voltou, que deixou seus trapos para trás e aproximou-se do Senhor, descobrirá que, quando o Senhor disse: "Venham a mim [...] e eu darei descanso a vocês" (Mateus 11.28), era exatamente isso que ele queria dizer! Frances Havergal afirmou ter chegado a um ponto em que acreditava que era exatamente isso que Senhor queria dizer. Ao ler: "Se confessarmos os nossos pecados, ele é fiel e justo para perdoar os nossos pecados e nos purificar de toda injustiça", ela descobriu que era exatamente isso que o Senhor queria dizer.

Que tal você começar a ler a Bíblia pensando que Deus quis dizer exatamente o que disse? Hoje em dia, temos muitas versões da Bíblia, mas acho que elas expressam a mesma coisa. É uma das maiores falácias, um dos maiores enganos possíveis, imaginar que, se alguém diz a mesma coisa em outras palavras, está acrescentando algo. As pessoas imaginam que seria maravilhoso se tivessem em mãos uma nova versão que lhes dissesse um pouco mais e melhor. Na verdade, seria uma grande decepção. Sei disso, porque sou o primeiro a buscar uma nova versão. Todas as vezes que uma nova versão é lançada, apresso-me a comprá-la. Fui a uma livraria nesses dias e comprei a última versão do Novo Testamento. Foi bom, mas ela não aumentou minha fé, não tornou Deus mais real e não trouxe o céu para mais perto de mim.

Quando você ler a sua Bíblia, em vez de ficar fazendo perguntas, diga a si mesmo: "Deus escreveu estas palavras e Deus é fiel. Deus não mente". Por exemplo, Leia 1João 1.7: "Se, porém, andarmos na luz, como ele está na luz, temos comunhão uns com os outros, e o sangue de Jesus, seu Filho, nos purifica de todo pecado". Trata-se de uma verdade encorajadora e maravilhosa, se você é um cristão que pecou.

Ouço as pessoas dizerem: "Não acredito que existam cristãos pecadores". Também não acredito, mas conheço muitos! Não penso que os cristãos devem pecar e acho que não devemos dar importância a isso. Penso que, quando um cristão peca, está agindo de modo mortal, perigoso e terrível. Mas sei também que o Espírito Santo disse: "Meus filhinhos, escrevo a vocês estas coisas para que vocês não pequem. Se, porém, alguém pecar, temos um intercessor junto ao Pai, Jesus Cristo, o Justo" (1João 2.1). E ele também disse: "Se confessarmos os nossos pecados, ele é fiel e justo para perdoar os nossos pecados e nos purificar de toda injustiça" (1.9).

No entanto, há algo que talvez você nunca tenha notado: "Ele é fiel *e justo* para perdoar os nossos pecados e nos purificar de toda injustiça". Deus prometeu que perdoaria e ele é fiel e justo para fazer isso. Mas o texto diz que ele é fiel *e justo* para perdoar. Agora a *justiça* está do nosso lado! Em vez de a justiça ser contra nós e a graça ser a favor de nós, o sangue de Jesus Cristo atua de uma forma tão maravilhosa diante do trono de Deus e diante da presença do homem que agora a justiça passou para o lado do pecador que retorna. E, quando o pecador retorna para casa, não há nada entre ele e o coração de Deus. Tudo foi levado embora pelo sangue do Cordeiro.

Assim, se houver antigas lembranças em sua mente, ou se o Diabo ou algum pregador lhe disser que a justiça é contra você, lembre-se do que as Escrituras dizem: "Ele é fiel *e justo* para perdoar". A justiça está do lado do cristão, porque Jesus Cristo está do lado do cristão. Assim, se você confessar seus pecados, Deus vai jogá-los fora e você será libertado.

A fidelidade de Deus aos tentados

Deus também é fiel aos que sofrem tentações. Lemos em 1Coríntios 10.13: "Não sobreveio a vocês tentação que não fosse comum aos homens. E Deus é fiel; ele não permitirá que vocês sejam tentados além do que podem suportar. Mas, quando forem tentados, ele mesmo providenciará um escape, para que o possam suportar". A fidelidade de Deus trabalha para nos libertar também das tentações que nos incomodam.

Alguns cristãos fracos e sofredores dizem: "Sinto-me encurralado, como se houvesse uma parede me rodeando". Alguém disse que, quando você não pode escapar para a direita, para a esquerda, para frente ou para trás, pode sempre escapar para cima. A fidelidade de Deus é o escape, porque é o caminho para o alto, tenha certeza disso. A tentação que você sofre é comum a todos. Se você está no limite de uma vida vitoriosa e diz: "Nas circunstâncias em que vivo, não vou conseguir", lembre-se de que a tentação é comum a todos.

Meu pai era um fazendeiro inglês determinado. Eu sentia orgulho da força de meu pai. Mas, quando pegava um resfriado, era o maior bebê do mundo. Dizia que ninguém sentia tanto mal-estar quanto ele. Minha pobre mãe, uma alemã de pequena estatura e idade avançada, andava mancando pela casa, pálida e exausta, no entanto tinha de continuar a realizar suas tarefas. Mas quando meu pai, um homem grandalhão e forte, adoecia, deitava-se e chamava por ela, e ela precisava cuidar dele. Para meu pai, seu resfriado era o pior de todos, embora não passasse de uma coriza.

Da mesma forma, pensamos que nossas tentações são maiores que as dos outros. Devemos lembrar, contudo, que houve homens tementes a Deus que atravessaram os mesmos caminhos espinhosos que atravessamos agora e saíram vitoriosos. Se acreditarmos em Deus, conseguiremos também.

Alguns homens se casam com mulheres do tipo gato selvagem, de difícil convivência, e pensam que são tentados mais que os outros. John Wesley era casado com uma mulher assim, cujas unhas eram sempre afiadas. Mas Deus ajudou John Wesley a conviver com ela. Ele ajoelhava-se e orava em latim para que a esposa não entendesse o que ele dizia. E, enquanto ele orava, ela atirava sapatos velhos na cabeça dele! Não é uma bela cena familiar, mas era assim que eles viviam.

Chegou o dia em que Wesley se despediu da esposa e partiu para pregar em outros lugares, embora contra a vontade dela. Depois disso, eles nunca mais viveram muito tempo juntos, mas Wesley nunca deixou faltar nada à esposa. Ela continuou em casa e resmungava quando ele saía para pregar o evangelho em vários lugares e transformar a Inglaterra. Um dia em que ele estava seguindo seu caminho a cavalo, meditando e orando, olhando para o céu, um cavaleiro passou ao seu lado e disse:

— Sr. Wesley, sua esposa morreu.

Wesley olhou para baixo e disse:

— Ah, ela morreu?

Então, voltou a olhar para cima. Wesley conseguiu viver bem, apesar da esposa que tinha.

Há também algumas queridas mulheres que amam a Deus de todo o coração, mas são casadas com um homem desprezível que recusa tudo o que não é carnal; que é vulgar e está longe do que as esposas esperavam que fosse. Elas pensam: *Não há ninguém tão amarrado quanto eu.*

Conheci uma mulher piedosa, uma mulher de oração cujo marido, que Deus o abençoe, era um beberrão. Esse homem, cujo estômago não segurava muito os alimentos, voltava para casa com as roupas sujas até os pés. Tenho receio de dizer o que faria com ele, mas ela não fez nada. Orava, limpava-o e colocava-o na cama. Quando acordava no dia seguinte, de ressaca, ele prometia tudo o que ela queria ouvir, mas saía de novo com os rapazes e voltava para casa trançando as pernas, coberto de sujeira. E, de novo, ela fazia a mesma coisa. Orou durante anos por aquele homem. Não sei como aquela pobre mulher suportava tal situação. Mas continuou a orar. Ela era uma cristã feliz, aquela mulher tão miudinha.

Um dia, o marido beberrão foi à igreja, atendeu ao apelo do pregador, ajoelhou-se e chorou como um bezerro desmamado — com um pouco de autopiedade, um pouco de outra coisa qualquer. Mas Deus o salvou. Ele tornou-se um cristão exemplar e viveu para Deus por uns bons anos. Ela orgulhava-se dele com uma águia que havia chocado mais um ovo. Conduziu-o a Deus — incubou aquele sujeito com oração e paciência.

Imagino que houve ocasiões em que ela o ouviu roncar por causa da bebedeira durante o sono e desejou nunca ter conhecido aquele homem. E imagino que houve ocasiões em que fez uso da autopiedade e disse: "Deus, como esperas que eu permaneça firme?". Mas Deus sussurrou ao coração dela: *As tentações são comuns a todos, mas eu sou fiel e não vou decepcioná-la.* O resultado foi que, além dele, outras pessoas da família se converteram. E um dia estarão no céu com seus pais. Isso mostra que, quando Deus diz que é fiel e não permitirá que você seja tentado além do que pode suportar, ele quer dizer exatamente isso.

A fidelidade de Deus aos que enfrentam dificuldades

Você é uma pessoa ansiosa e medrosa, que não acredita que tudo está bem entre você e Deus? Ouça o que Deus tem a lhe dizer:

> "Por um breve instante eu a abandonei,
> mas com profunda compaixão
> eu a trarei de volta.
> Num impulso de indignação
> escondi de você por um instante
> o meu rosto,
> mas com bondade eterna
> terei compaixão de você",
> diz o Senhor, o seu Redentor.
> "Para mim isso é como os dias de Noé,
> quando jurei que as águas de Noé
> nunca mais tornariam a cobrir a terra.
> De modo que agora jurei
> não ficar irado contra você,
> nem tornar a repreendê-la" (Isaías 54.7-9).

Foi um dia muito importante na minha vida quando acreditei nessas palavras de Deus. Creio que, embora Deus possa ter de me corrigir e me castigar, ele nunca mais ficará zangado comigo, por amor a Jesus Cristo, por causa de suas promessas e por causa de sua fidelidade. Ele jurou que não ficará irado comigo nem me repreenderá.

> "Embora os montes sejam sacudidos
> e as colinas sejam removidas,
> ainda assim a minha fidelidade
> para com você não será abalada,

> nem será removida
> a minha aliança de paz",
> diz o Senhor,
> que tem compaixão de você. (v. 10)

Essa é a palavra de Deus aos ansiosos.

Há também o cristão que tem sido infiel ao Senhor ao longo dos anos.

> Se somos infiéis,
> ele permanece fiel,
> pois não pode negar-se
> a si mesmo. (2Timóteo 2.13)

Há o cristão desencorajado. "Aquele que os chama é fiel e fará isso" (1Tessalonicenses 5.24). Você pode estar servindo a Deus por um bom tempo, mas, em vez de melhorar, sente que está piorando. Sabe o que está acontecendo com você. Está se conhecendo melhor! Houve um tempo em que você não sabia quem era e achava que estava muito bem. Então, pela bondosa graça de Deus, ele mostrou você a você mesmo — e foi um choque e uma decepção para você. Mas, não desanime, porque é fiel aquele que o chama, e ele fará isso. Deus terminará a obra.

Eu sempre quis saber como uma galinha se sente ao ficar sentada em cima de um ovo durante três semanas. Minha mãe sempre colocava 13 ovos embaixo de uma galinha e esta ficava sentada ali. Podia fazer uma pausa de vez em quando, mas voltava para o ninho. Na primeira semana, era uma novidade. Duas semanas seriam toleráveis, mas a última semana devia ser uma tortura — sentada ali sem nada acontecer.

Então, por volta do meio-dia do 21º dia, o primeiro pio experimental é ouvido embaixo de suas asas. Ela sorri como só uma galinha é capaz de sorrir e diz: "Graças a Deus, eles estão aqui". Depois disso, é apenas uma questão de tempo. Um após outro, os pintinhos bicam a casca do ovo para sair. Na infância, eu me abaixava com as mãos nos joelhos e ficava olhando os pintinhos bicarem a casca do ovo para sair. Eles ficavam confusos ao sair, mas, depois de dez minutos sob a luz solar, estavam fofinhos como nunca e lindos de se ver. Mas só saíam após 21 longos dias de espera.

Às vezes, Deus nos faz esperar. Ele fez os discípulos esperarem em Jerusalém pela chegada do Espírito Santo (v. Atos 1.4) e pode fazer você esperar também. Mas lembre-se: é fiel o Deus que o chamou, e ele fará isso. Esse é o nosso Deus fiel. Recomendo que você retire sua esperança deste mundo mutável, traiçoeiro e falso e a deposite em Jesus Cristo. Ele é fiel e fará isso.

> Pai, ajuda-nos a acreditar. Perdoa-nos por duvidar. Leva embora nossa falta de fé, nossa desconfiança, nossa lentidão em acreditar. Ajuda-nos agora a pôr nossa confiança em ti e a nos atirar em teus braços com toda a confiança de uma criança nas mãos do pai. Que possamos confiar em ti agora. Oramos pelo desencorajado, pelo pecador, pelo cristão que não foi fiel a ti, por aqueles que estão no limite do desespero e pelos que estão vivendo em circunstâncias muito difíceis de suportar. Tu, ó Deus, és fiel e não permitirás que fracassemos. Tu nos manterás, nos segurarás e nos abençoarás. Levanta-nos e ajuda-nos por Cristo, nosso Senhor e mediador. Amém.

CAPÍTULO 10

O amor de Deus

Amados, amemos uns aos outros, pois o amor procede de Deus. Aquele que ama é nascido de Deus e conhece a Deus. Quem não ama não conhece a Deus, porque Deus é amor. Foi assim que Deus manifestou o seu amor entre nós: enviou o seu Filho Unigênito ao mundo, para que pudéssemos viver por meio dele. Nisto consiste o amor: não em que nós tenhamos amado a Deus, mas em que ele nos amou e enviou seu Filho como propiciação pelos nossos pecados. Amados, visto que Deus assim nos amou, nós também devemos amar uns aos outros. Ninguém jamais viu a Deus; se amarmos uns aos outros, Deus permanece em nós, e o seu amor está aperfeiçoado em nós. Sabemos que permanecemos nele, e ele em nós, porque ele nos deu do seu Espírito. E vimos e testemunhamos que o Pai enviou seu Filho para ser o Salvador do mundo. Se alguém confessa publicamente que Jesus é o Filho de Deus, Deus permanece nele, e ele em Deus. Assim conhecemos o amor que Deus tem por nós e confiamos nesse amor. Deus é amor. Todo aquele que permanece no amor permanece em Deus, e Deus nele. Dessa forma o amor está aperfeiçoado entre nós, para que no dia do juízo tenhamos confiança, porque neste mundo somos como ele. No amor não há medo; ao contrário o perfeito amor expulsa o medo, porque o medo supõe castigo. Aquele que tem medo não está aperfeiçoado no amor. Nós amamos porque ele nos amou primeiro. Se alguém afirmar: "Eu amo a Deus", mas odiar seu irmão, é mentiroso, pois quem não ama seu irmão, a quem vê, não pode amar a Deus, a quem não vê. Ele nos deu este mandamento: Quem ama a Deus, ame também seu irmão. (1João 4.7-21)

Entre todos os seus atributos, o amor de Deus é o mais difícil de descrever. Talvez você não entenda o amor de Deus por nós. Eu não o entendo. Estamos tentando compreender o incompreensível. É como querer colocar o oceano em nossos braços, abraçar a atmosfera ou alcançar as estrelas. Ninguém pode fazer isso, por esse motivo imagino que devemos fazer o melhor e confiar que o Espírito Santo compense nossa falha humana.

O texto acima diz: "Deus é amor", mas não é uma definição de Deus. É muito importante entender isso. Há um grande número de poetas e religiosos excêntricos que dizem que Deus é amor; logo, o amor é Deus, e tudo é amor, e tudo é Deus. Essas pessoas estão atarefadas e felizes por enquanto. Mas estão também muito, muito confusas em sua teologia.

Quando a Escritura diz: "Deus é amor", não está definindo Deus. Não nos diz o que Deus é em seu ser metafísico. Em primeiro lugar, a Bíblia nunca diz o que Deus é em seu ser profundo, essencial. Ninguém pode imaginar o que Deus é (exceto Deus), porque Deus é inconcebível. Mesmo que alguém seja capaz de imaginar o que Deus é, não poderia expressá-lo, porque Deus é inefável. E, se pudesse expressá-lo, não seria compreendido, porque Deus é incompreensível.

Portanto, equiparar o amor com Deus é ir longe demais na teologia. Se Deus é amor em seu ser metafísico, então Deus e amor são iguais — idênticos. Poderíamos adorar o amor como se fosse Deus! Assim, adoraríamos um atributo de personalidade, não a Pessoa em si, destruindo o conceito de personalidade em Deus e negando de vez todos os outros atributos da divindade. Não se esqueça de que a Escritura também diz: "Deus é luz" (1João 1.5) e "Este é o verdadeiro Deus e a vida eterna" (5.20), mas não tente limitar a natureza de Deus a somente luz ou vida!

Quando a Escritura diz: "Deus é amor", significa que o amor é um atributo essencial do ser de Deus. Significa que em Deus está a soma de todo o amor, de modo que todo amor procede de Deus. E significa que o amor de Deus, podemos afirmar, condiciona todos os seus outros atributos, de modo que Deus não pode fazer nada que não seja em amor.

Creio que, no fim dos tempos, quando conhecermos como somos conhecidos (v. 1Coríntios 13.12), descobriremos que até mesmo a condenação de um homem é uma expressão do amor de Deus tão certo quanto a redenção de um homem. Deus não pode separar-se em partes e fazer uma coisa com um atributo e uma coisa diferente com outro. Tudo o que Deus é determina tudo o que Deus faz. Portanto, quando Deus redime um homem em amor, ou condena outro homem em justiça, ele não está se contradizendo, porque a justiça e o amor trabalham juntos no ser unitário de Deus.

O que queremos dizer com a expressão "Deus é amor" é o que queremos dizer quando nos referimos a um homem: "Ele é a própria bondade". Não queremos dizer que a bondade e o homem são iguais e idênticos, mas que o homem é tão bom que a bondade o cobre por inteiro e condiciona tudo o que ele faz. Assim, quando dizemos "Deus é amor", queremos dizer que o amor de Deus é tão grande que permeia seu ser essencial e condiciona tudo o que ele faz. Nada do que Deus faz, fez ou fará é feito separado do amor de Deus.

Quando analiso o que o amor é, lembro-me de algo que meu amigo Max Reich (filho de um rabino, graduado pela

Oxford e um grande homem temente a Deus) respondeu depois que lhe perguntei certa vez:

— Dr. Reich, o que o senhor acha da obra de Rotterdam sobre os Salmos?

— Irmão Tozer — ele disse —, Rotterdam "botaniza" os Salmos. O botânico pega uma flor e a separa para analisar as partes e dar nome a elas. Quando termina, você não tem uma flor; tem botânica. Rotterdam pega os Salmos e analisa, classifica, divide e separa. Quando termina, você não tem mais os salmos de Davi; tem teologia!

Achei muito bom, mas agora sinto-me um pouco constrangido quando tento pregar a respeito do amor de Deus. Fico preocupado de estar "botanizando", isto é, rasgando as pétalas para descobrir o que elas são. Mas tomarei o cuidado de ajuntá-las de novo, para que você não vá embora com uma pétala e pense que tem um jardim inteiro.

Amor é boa vontade

Acima de tudo, o amor é o princípio da boa vontade. Os anjos cantaram: "boa vontade para com os homens" (Lucas 2.14, ARC). O amor sempre deseja o bem de seu objeto e nunca o mal. Se você ama alguém, se ama-o de verdade, vai querer o bem dessa pessoa e fazer o bem a ela. Você nunca vai querer que ela seja prejudicada se for possível ajudá-la. É por isso que João diz: "No amor não há medo; ao contrário, o perfeito amor expulsa o medo [...]" (1João 4.18). Se sei que uma pessoa me ama, não tenho medo dela. Se não tenho certeza se ela me ama, posso ficar um pouco cauteloso em relação a ela. O amor expulsa o medo, porque, quando sabemos que somos amados, não temos medo. O medo de todo o Universo se afasta de todo aquele que tem o perfeito amor de Deus.

Todo o medo verdadeiro vai embora quando sabemos que Deus nos ama, porque o medo chega quando estamos nas mãos de alguém que não deseja o nosso bem. Um garotinho perdido em uma loja de departamentos representa o auge do medo histérico; o rosto das pessoas é estranho, até o daquelas que querem ajudar. A criança tem medo de cair nas mãos de alguém que lhe queira fazer o mal. Quando, porém, vê o rosto conhecido da mãe, corre chorando em direção a ela e procura seus braços. Ela nunca tem medo quando está nas mãos de sua mãe, porque a experiência lhe ensinou que a mãe deseja o seu bem. O perfeito amor expulsa o medo da criança. Quando a mãe não está perto, o medo toma conta do coração da criança, mas o rosto bondoso, sorridente e animado da mãe leva o medo embora.

Nascemos em um mundo no qual há muitas coisas extremamente grandes contra nós: o pecado, Satanás, acidentes etc. Se estamos nas mãos de acidentes, do Diabo, do pecado, temos algo a temer. As pessoas escrevem livros sobre como vencer o medo; penso que elas são totalmente ridículas. Aconselham-nos a sentar e a dizer a nós mesmos: "Não há nada a temer. O céu sorri para você. O vento é seu e o Sol também". E, mais ou menos nessa hora, você sofre um infarto, é acometido de alguma doença, recebe um telegrama dizendo que seu filho foi morto em um acidente de carro ou um país declara guerra a outro. É ridículo dizer simplesmente: "Não tenha medo".

Um homem sentado em um trilho de ferrovia pode dizer a si mesmo que não há nada a temer, mas cinco minutos depois há algo a temer! Se você acredita que está nas mãos do acaso, é claro que há motivo para sentir medo, e você é tolo se não sentir medo. Se você é um pecador não arrependido e parece haver uma espada pendurada acima de sua cabeça, é claro que há motivo para sentir medo. Se você pecou contra Deus e não se arrependeu, há "uma terrível expectativa de juízo" (Hebreus 10.27) e é certo e natural que deva haver.

Quando, porém, por meio da porta aberta da cruz e do nome e do poder de Jesus Cristo, eu me entrego ao coração do Pai, Deus cancela todo o meu passado, aceita todo o meu presente, jura pelo seu santo nome por todo o meu futuro, e o amor de Deus toma conta de mim. Então, o medo vai embora de meu coração, porque o amor entra. Não estou mais nas mãos de homens.

Anos atrás, eu disse em uma convenção denominacional: "Não estou nas mãos destes representantes. Eles não podem eleger-me nem podem me derrubar, não podem me colocar para dentro nem podem me colocar para fora". Mais tarde, outro pastor aproximou-se de mim e disse: "Você ficaria surpreso com a velocidade que eles fariam isso".

No entanto, a verdade é que eles não podem! Estou nas mãos de Deus. E apelo, não aos representantes ou a qualquer outro ser humano, mas ao Deus Altíssimo. Deus é meu amigo por meio de Jesus Cristo e deseja que eu prospere. Por isso, não tenho medo; coloco-me nas mãos dele sem medo. O amor expulsa o medo. O amor é o princípio da boa vontade, e Deus quer ser nosso amigo.

O amor é emocional

O amor é também uma fixação emocional, isto é, identifica-se emocionalmente com seu objeto. Pode parecer tolice, mas você já notou que, se ama alguém de verdade, ama até as roupas da pessoa? O poeta Ben Johnson escreveu versos sobre uma faixa que sua amada usava. Se você é uma pessoa séria, talvez ria disso. Mas o fato é que houve dias em que o coração dele bateu mais acelerado, e só de ver o texto manuscrito por ela foi o suficiente para dar cor ao seu dia!

Amamos também nossos filhos e queremos o bem deles. Penso em minha jovem filha. Ela vai completar 22 anos de idade neste verão, mas continua a ser a nossa garotinha. Se ela fosse acometida de uma enfermidade mortal e eu pudesse salvá-la com uma transfusão de sangue — uma transfusão que me mataria —, eu não hesitaria nem por um segundo. Não sou nenhum herói; sou apenas pai, só isso! O amor identifica-se emocionalmente com seu objeto. Se eu soubesse que minha filha está a ponto de morrer em um hospital e que meu sangue poderia salvar sua vida e fazê-la viver muitos anos à custa de minha vida, eu faria isso em um segundo. Morreria com um sorriso. Qualquer pai que ame seus filhos faria o mesmo. O amor sempre se identifica emocionalmente com seu objeto.

Você já viu uma jovem mãe, miúda e magrinha, andando com dificuldade e carregando no colo um bebê grande e gordo? A mãe parece estar à beira da morte; o bebê parece cada vez mais gordo e feliz, ao passo que a mãe está sofrendo com isso. No entanto, a mãe reclama? De modo algum! Olha para aquele rostinho e o ama a ponto de se doar o dobro, dez vezes, porque já se identificou emocionalmente com o bebê.

Por que foi que, entre o Calvário e a ressurreição, Pedro, João, Bartolomeu e os discípulos continuaram andando e comendo, bebendo e dormindo, vivos e com saúde, enquanto Jesus estava morto e na sepultura? Porque Jesus identificou-se emocionalmente com os discípulos e com aqueles que pertenciam ao mundo. Morrer por eles não foi uma tarefa difícil. É por isso que não dou importância aos cânticos de lamento que descrevem Jesus chorando e dizendo: "Ah, que grande herói eu fui, e vocês não reconhecem! Pobre de mim!". Cânticos como esse não são saudáveis. São escritos por homens que necessitam de tratamento psiquiátrico.

Jesus Cristo nunca disse aos seus discípulos: "Vejam bem, eu morri por vocês. Não se lembram de meus sofrimentos e de minhas lágrimas, de meus gemidos e de meu sangue?". Nunca! Ele disse: "Maria", e Maria virou-se e disse: "Rabôni" (João 20.16). Ele nunca disse: "Eu morri por você". Disse simplesmente: "Maria". Essa é a diferença entre o Novo Testamento e uma pilha de livros religiosos. Os livros religiosos são quase sempre prejudiciais e tornam-se mais prejudiciais ainda quando há um esforço para que sejam livros espirituais.

Quero ser um cristão íntegro. Creio que Deus deseja que tenhamos uma mente íntegra. O homem mais íntegro foi Jesus Cristo, e o discípulo mais íntegro foi Paulo. Devemos ser homens e mulheres íntegros. É por isso que não costumo frequentar os cultos de Sexta-feira Santa, onde as pessoas choram e lamentam, tentando acompanhar Jesus pelas estações da cruz. É como tentar acompanhar uma mãe durante as longas horas de trabalho de parto. Basta dizer: "Obrigado, mãe, estou aqui!".

Jesus disse que a mulher que está dando à luz "esquece a angústia, por causa da alegria de ter vindo ao mundo [um menino]" (16.21) — se ela tiver mente saudável. Se não, ela escreve poesia e se lamenta. Precisa ir a um psiquiatra para ser examinada. Mas, se tiver mente saudável, identifica-se emocionalmente com a criança. Tudo o que faz bem ao filho faz bem a ela; tudo o que prejudica o filho a prejudica. Deus identificou-se tão emocionalmente com a raça humana que o Diabo sabia que a única maneira de prejudicar Deus seria por meio da raça humana.

Milton entendeu isso quando escreveu *Paraíso perdido*. Esse clássico da literatura não é inspirado na Escritura e nele há muitas evidências disso. Mas tem base bíblica, e Milton era um bom teólogo para saber disso. Em *Paraíso perdido*, Milton descreve o Diabo conspirando com seus horríveis demônios sobre como poderiam prejudicar Deus.

"Fomos completamente derrotados, e não há nada que possamos fazer", os demônios disseram. (Essa é uma paráfrase minha, claro.) "Os poderosos instrumentos de Deus trovejaram, e estamos perdidos. Não podemos nunca nos apossar do trono de Deus pela tempestade. O que faremos?"

Bom, o Diabo, por ser o Diabo, disse: "Acho que sei. Há uma conversa de que Deus vai criar pessoas que serão feitas à sua imagem e semelhança. Ele as ama mais que a tudo o que existe em seu Universo. Se eu conseguir me aproximar delas e destruí-las, vou prejudicar mais a Deus do que se destruísse o próprio domínio dele".

Assim, ele foi atrás de Adão e Eva e começou a tentá-los. E, quando provocou a queda da raça humana, ele feriu o coração de Deus, porque Deus amava a raça humana feita à sua imagem. Nossos pecados são uma ferida emocional no coração de Deus.

Citando Salmos 8.4, Hebreus 2.6 (ARA) diz: "Que é o homem, que dele te lembres?". A palavra grega para o verbo "lembrar" significa "fixar na mente".[1] Estamos fixados na mente de Deus. E a única maravilhosa e estranha excentricidade do grande e livre Deus é que ele se permite identificar-se emocionalmente comigo; portanto, tudo o que me magoa também o magoa. Sempre que sinto dor, Deus sente também. Sempre que sofro, ele sofre também. A Escritura diz: "O Senhor [nos] susterá em [nosso] leito de enfermidade, e da doença [nos] restaurará" (Salmos 41.3). Deus senta-se ao nosso lado e sofre quando sofremos.

O amor também sente prazer em seu objeto. Deus é feliz em seu amor. Quando as pessoas se amam, são felizes. Quando era presidente dos Estados Unidos, Woodrow Wilson apaixonou-se por uma viúva, a sra. Galt. Wilson, você deve lembrar, era um homem idoso e circunspecto, com rosto alongado e óculos de lentes grossas. Havia sido professor e reitor de faculdade e vestia-se adequadamente. Era tão sério que evitava até limpar a garganta. Mas conheceu a sra. Galt em um verão, e ela o conquistou. Ele disse: "Vou me casar". Em seguida, deu um salto e ensaiou alguns passos de dança no piso da sala presidencial.

Imagine um presidente fazendo algo assim! O que havia acontecido com um homem de idade avançada? O amor chegou. Ele imaginava que a chama em seu coração se havia apagado, mas ainda havia emoção ali. E ficou feliz por isso. O amor sempre deixa as pessoas felizes.

Uma jovem mãe está sempre feliz com seu bebê. Nunca vi uma que não estivesse. Às vezes, a mãe fica um pouco

---

[1] STRONG, James. **Strong's Exhaustive Concordance of the Bible**, grego no 3403, referência grega n. 3415.

zangada quando a criança cresce e começa a puxar as coisas, mas, na maior parte, o amor é uma coisa prazerosa. E Deus fica feliz por amar tudo o que ele fez.

Estava lendo novamente os primeiros capítulos de Gênesis, e não há dúvida de que Deus sentiu prazer em sua criação. Deus fez a luz, balançou a cabeça e disse: "Ficou bom!". Ele gostou do que fez! Depois fez a terra seca aparecer, colocou os mares em um lugar e disse: "Ficou bom!". Depois fez o Sol para governar o dia, as estrelas e a Lua para governar a noite e disse: "Ficou bom!". Depois fez o homem e disse: "Ficou muito bom!" (v. cap. 1).

Deus era um artista, e todas as vezes que terminava uma pintura, balançava a cabeça e dizia: "Ficou bom!". Deus amava sua pintura; tinha prazer no que estava fazendo. E esse é o Deus dos sermões que prego — não um Deus distante, desanimado, ranzinza, mal-humorado, escondido em algum palácio imperial. Falo de um Deus amigo, que se sente feliz com sua obra. Foi apenas o pecado que trouxe a maldição, a dor e o sofrimento — e Deus também enviou seu Filho para lidar com o problema do pecado.

Deus faz uma encantadora referência às suas obras e a tudo o que criou. Lemos em Salmos 104.31: "[...] Alegre-se o Senhor em seus feitos!". E Sofonias 3.17 (penso que ninguém acredita de fato nesta maravilhosa passagem da Escritura; se acreditássemos, faríamos como o presidente Wilson e dançaríamos de pura alegria) diz: "O Senhor teu Deus no meio de ti é poderoso; ele salvará, e se deleitará em ti com alegria; ele descansará em seu amor, e se alegrará em ti com cânticos" (BKJ).

O Deus todo-poderoso está no meio de nós! Ele nos salvará e se regozijará conosco! Deus fica feliz se ninguém mais estiver feliz, e ele descansará em seu amor. "Ele se regozijará com você" — o Deus eterno está cantando! É por isso que quero que nossas congregações cantem. Não exijo que cantem afinado; apenas que cantem com alegria e entusiasmo.

Não me importo se o piano está desafinado ou se alguém não está cantando no mesmo ritmo que o outro — isso não me incomoda. Mas a falta de calor e entusiasmo faz-me questionar a vida experimental dos cristãos. A igreja cristã tem Deus dentro dela, e, onde Deus está, ele se regozija com seu povo com cânticos. O cântico da igreja reflete o grande Deus cantando no meio do seu povo.

Observe o que Jesus Cristo, nosso Senhor, disse a respeito de sua igreja em Cântico dos Cânticos 4.9:

> Você fez disparar o meu coração,
>   minha irmã, minha noiva;
> fez disparar o meu coração
>   com um simples olhar [...].

Quando o Senhor diz essas palavras a respeito de sua igreja, elas só podem significar uma coisa: ele se sente em relação à sua igreja como um noivo em relação à noiva, como uma mãe em relação ao filho, como um apaixonado em relação a quem ama. E há um conteúdo de amor extremamente satisfatório no cristianismo verdadeiro se você se aprofundar o suficiente. O problema é que não nos aprofundamos o suficiente!

D. L. Moody contou a história de um homem que nunca dormia em cama com colchão de penas. Ele encontrou uma pena, deitou-se sobre ela a noite inteira e disse: "Se uma pena é tão dura assim, não posso imaginar o que um colchão cheio de penas seria!'". Moody estava brincando, mas serve de ilustração. Nossa religião faz de nós pessoas extremamente infelizes. Se nos aprofundássemos mais, encontraríamos o amor de Deus.

Tudo o que algumas pessoas sabem sobre o cristianismo é que ele não permite fazer certas coisas. Certa vez, um homem disse a Spurgeon:

— Não bebo, não fumo, não juro, não vou ao cinema.

Spurgeon replicou:

— Você come feno?

— Não, não — o homem respondeu. — O que o senhor quer dizer com isso?

Então, Spurgeon disse:

— Eu esperava que você fizesse alguma coisa. Até agora não fez nada.

Para algumas pessoas, o cristianismo é apenas o que não fazemos. Isso não é cristianismo! Os monges não fazem muitas coisas; o homem na Índia que anda nu e dorme sobre pregos também não faz muitas coisas. Apenas vive deitado e apodrece. Isso não é cristianismo.

Há um conteúdo de amor no cristianismo. E, se descontarmos todas as irresponsabilidades que as pessoas cometem, ainda há um conteúdo profundo, terapêutico e emocional na vida cristã. É por isso que a Bíblia chama a igreja de noiva e Cristo de noivo. Cristo quer dizer que seu povo deve conhecer seu amor e que devemos senti-lo e percebê-lo. Estou tentando analisar o amor, no entanto não é possível descrevê-lo; é preciso senti-lo. Podemos entender como ele funciona, mas não podemos descrevê-lo. E só o conhecemos depois de senti-lo. O mesmo ocorre com o amor de Deus.

Oseias 2.16 (ARA) diz que chegará o tempo em que não chamaremos mais Deus de *Baali* (um nome desprezível para Deus), mas de *Ishi*, que significa "marido". Significa que Deus quer ser para nós como um marido em relação à nova esposa. Ele quer proporcionar-nos abrigo, cuidado, amor e carinho.

Eu sempre me pergunto por que as mulheres aceitam mudar de sobrenome quando se casam. Quando Marcia Smith se casa com Mortimer Jones, uma das primeiras coisas que ele diz a ela enquanto vão embora com os cabelos cobertos de arroz é: "E então, sra. Jones, como se sente?". Ela ri, encantada por assumir esse nome. Conheço muitos maridos recém-casados cuja esposa foi chamada desta forma pelo alto-falante do hotel: "Chamando a sra. Mortimer Jones". E ela diz: "Que maravilha!". Assumiu o nome do homem a quem ama e não se importa nem um pouco com isso.

Bom, seu nome antes de se casar era Adão, não se esqueça disso. Mas o Senhor quis dar-lhe um novo nome. Ele disse: "Serei seu marido, e você será chamado cristão". O amor de Deus tornou-nos cristãos e uniu-nos a ele no calor da afeição.

Como seria mecânico o casamento se nele não houvesse amor! Como seria mecânico educar filhos se não houvesse amor! Não seria terrível levantar-se cinco vezes durante a noite para dar-lhes um copo de água sem necessidade, curar machucados que nunca tiveram, olhar para aqueles boletins escolares horrorosos? Seria terrível criar uma família, a não ser por uma coisa: a lubrificação do amor.

Sempre que o amor está presente, tudo vai bem. Há uma pequena história sobre uma menina que carregava uma criança grande nas costas. Um homem aproximou-se e disse:

— Que fardo grande você está carregando!

Ela respondeu:

— Não é um fardo; é o meu irmãozinho!

Tudo o que fazemos com amor não é um fardo. Deus não carrega fardos. É por isso que nunca me associo a pessoas que sentem dó do Senhor. Nunca! Deus está feliz com o que fez! Ele é amor, e o amor é prazeroso.

Se eu tentasse falar da grandeza do amor, correria em círculos porque não posso falar daquilo que não pode ser expresso em palavras. Mas, para tentar explicá-lo um pouco, esse amor de Deus é um atributo de Deus, o que significa que é eterno, imutável e infinito. Nunca começou e nunca terminará; não muda nunca e, para ele, não há limite.

> O amor de Deus é maior
> Do que a mente do homem pode medir,
> E o coração do Eterno
> É maravilhosamente bom.[2]

Todas as vezes que Deus pensa em você, pensa com carinho. Mesmo que tenha de castigá-lo ou permitir que você passe por adversidades, é o amor que as permite e é o amor que as envia. E nunca devemos ter medo do amor, porque o amor expulsa o medo.

Nós falamos sobre o amor, porém Deus provou seu amor. "Mas Deus demonstra seu amor por nós: Cristo morreu em nosso favor quando ainda éramos pecadores" (Romanos 5.8). E em Hebreus 7.25 está escrito: "Portanto, ele é capaz de

---

2 FABER, Frederick W. There's a Wideness in God's Mercy. **Hymns of the Christian Life**, ed. 1978, n. 152.

salvar definitivamente aqueles que, por meio dele, se aproximam de Deus, pois vive sempre para interceder por eles".
O mesmo amor que nos criou é o amor que nos redimiu e que agora nos mantém.
A melhor salvaguarda do mundo é o amor de Deus. Algumas pessoas acreditam na segurança dos santos de Deus por motivos teológicos. Basearam-se na ideia de algum texto. Creio na segurança dos santos de Deus porque Deus é amor e sempre preserva o que ele ama. Nós sempre preservamos o que amamos — sempre.

Detesto abordar o outro lado, mas tenho de dizer isto: a alma que é capaz de zombar de um amor tão infinito, emocional, ávido quanto esse, a alma que é capaz de pisoteá-lo, afastar-se dele e desprezá-lo jamais entrará no céu de Deus — jamais. Essa alma nunca será feliz no céu de Deus. A alma que ama odiar e odeia o amor, a alma que cultiva o ódio e despreza o amor de Deus, nunca será feliz no céu. Às vezes, quando um velho patife perverso morre, o pregador levanta-se e tenta preconizar que ele vai direto para o céu, sem saber que a pior coisa que poderia acontecer a tal pessoa seria ir para o céu.

Li certa vez a história de um homem muito rico que encontrou um garotinho dormindo dentro de um velho barril vazio na zona portuária. A criança estava vestida com trapos e vivia do que era capaz de conseguir nos becos ou de alguém que lhe desse uma ajuda. O homem rico decidiu levar o garotinho para sua casa, uma mansão onde um cômodo era ligado a outro, um maior e mais luxuoso que o outro. O garotinho medroso e trêmulo recebeu roupas que nunca havia visto. Seu pai adotivo conduziu-o a um quarto onde havia camas

O amor de Deus

cobertas com lençóis e colchas de seda, um abajur e todas as maravilhas que a riqueza poderia proporcionar ao quarto de um menino. Na manhã seguinte, a empregada levou-o para tomar o café da manhã com alimentos que ele não sabia que existiam, servidos em belos pratos e com talheres de prata requintados.

Certa manhã, o menino levou embora tudo o que podia e, quando foram acordá-lo, só encontraram as roupas boas que ele ganhou. Procuraram os trapos que ele vestia antes, e haviam desaparecido. O menino tirou as roupas ricas e finas que o deixavam infeliz e voltou a vestir seus trapos velhos. Ele estava acostumado psicologicamente a sujeira e trapos, estava acostumado a comer cascas de banana e farelos de pão. Não estava acostumado a lençóis de seda, roupas finas e uma casa rica e luxuosa. Sentiu-se muito infeliz ali! Da mesma forma, o céu não seria céu para o homem que não tem céu no coração.

O céu não será céu para o homem que não tem o amor de Deus no coração. O céu será um lugar totalmente preenchido pelo amor de Deus da mesma forma que a atmosfera enche uma sala com ar puro e estimulante. O céu é repleto de amor, e quem não conhece o amor de Deus na terra não será feliz no céu. Com certeza, também não será feliz no inferno. Isto é o pior de tudo — não será feliz em lugar algum.

Anos atrás, ouvi um excelente pregador canadense que baseou sua mensagem no texto: "Chegou o dia em que o mendigo [Lázaro] morreu, e os anjos o levaram para junto de Abraão. O rico também morreu e foi sepultado. No Hades, onde estava sendo atormentado, ele olhou para cima [...]" (Lucas 16.22,23). O pregador perguntou por que foi assim e finalmente chegou a esta conclusão: o mendigo não foi para junto de Abraão por ser pobre, e o rico não foi para o inferno por ser rico. Cada um foi para o lugar para o qual havia sido condicionado. Junto de Abraão era o lugar a que Lázaro pertencia, porque ele tinha o amor de Deus no coração. Quando morreu, o amor levou-o para o lugar ao qual ele pertencia. O rico não foi para o inferno porque se alimentava de comidas suntuosas e morava em uma casa boa. Foi para o inferno porque não tinha o amor de Deus no coração. Quando morreu, ele foi para o lugar a que pertencia. Há um lugar para todos.

O amor abriu a porta para os pecadores entrarem no céu. Mas espere um pouco — estarei eu me contradizendo? Não acabei de dizer que os pecadores, as pessoas do mundo que não têm o amor de Deus, não seriam felizes no céu? Claro que não seriam. Mas, quando somos salvos, Deus muda o nosso coração.

A Escritura diz: "[...] As coisas antigas já passaram; eis que surgiram coisas novas!" (2Coríntios 5.17). Deus coloca a semente de Deus em nós, e tornamo-nos filhos de Deus. Somos batizados no Reino de Deus e, assim, somos aclimatados e condicionados psicologicamente ao Reino de Deus. Você ama ótimos hinos, ama cantar, ama orar, ama conversar reverentemente a respeito de Deus, ama o som dos hinos e o som da leitura das Escrituras. E nada lhe agrada mais que levantar-se de manhã e ler a Bíblia. Nada lhe agrada mais que passar um tempo com Deus em oração, o maior tempo que puder. Se você vive diante da face de Deus, então será feliz no céu porque está condicionado a ele. Deus já fez o céu ser seu *habitat* natural.

O amor de Deus

O excelente hino de Bernardo de Cluny "A pátria celestial", ao falar dos peregrinos que abrem caminho para o céu, diz que eles vão para o céu porque o céu exige a presença deles.[3] O céu exige a presença deles porque pertencem ao céu. O inferno é um lugar para onde as pessoas vão porque pertencem a ele. Deus não fica zangado e diz: "Saia daqui e vá para o inferno!". Não, eles vão para o lugar ao qual pertencem por natureza. A força gravitacional da vida moral deles os conduz em direção ao céu. Aqueles que morrem e vão para o céu vão para lá porque a força gravitacional de sua vida moral conduz ao céu, pelo sangue de Jesus, o sangue da aliança eterna.

Falar do amor de Deus é como percorrer o globo terrestre, visitar cada país do mundo e depois passar cinco minutos falando da viagem com seus amigos. Não é possível! O amor de Deus é tão grande que até pregadores como Spurgeon e Crisóstomo não podem pretender subir ao púlpito para falar dele com justiça.

Juliana de Norwich explicou desta maneira:

> Pois nossa alma é tão especialmente amada por aquele que é o mais sublime que ultrapassa o conhecimento de todas as criaturas: isto é, não há criatura feita que seja capaz de saber [totalmente] quanto e quão docemente e quão ternamente o nosso Criador nos ama. E, assim, podemos com graça e com sua ajuda estar na contemplação espiritual, com a maravilha eterna desse amor sublime, transcendente e inestimável que o Deus todo-poderoso tem para nós em sua bondade.[4]

---

[3] The Celestial Country, **The Christian Book of Mystical Verse**, p. 128-140.
[4] **Revelações do amor divino**. São Paulo: Paulus, 2018. Cap. 7.

Ela acrescenta esta frase curta: "E, então, podemos pedir ao nosso Amado, com reverência, tudo o que quisermos". Ele nos ama tanto que nenhuma criatura — nenhum serafim, nenhum querubim, nenhum arcanjo, nenhum principado, nenhum poder, nem todos juntos neste vasto Universo — pode sequer esperar conhecer até que ponto o amor de Deus é transcendente, até que ponto é terno e meigo e quanto ele nos ama.

O que pode o mundo fazer a um homem ou a uma mulher que está firmado no amor de Deus, que nada no oceano de seu amor como um peixe no poderoso oceano? O que pode o Diabo fazer a uma pessoa assim? O que o pecado pode fazer? O que o mundo pode fazer? O que um acidente pode fazer?

Ah, o amor de Deus, quão pouco sabemos a respeito dele, quão pouco fazemos sobre o que sabemos! Que Deus nos ajude. Se você se afastou dele, rebelou-se, se não é salvo ou se é incrédulo, ouse acreditar que Deus o ama. Ouse acreditar que ele enviou seu Filho unigênito para dar a vida pelo seu resgate. E ouse a acreditar que, se confiar nele, você terá vida eterna.

Se você se desgarrou de Deus, ouse voltar para casa. Não cometa mais um pecado, o de não voltar para casa. Uma adolescente tem o impulso de fugir de casa. Ela vai embora e consegue trabalhar em um restaurante. Então, ela lê no jornal ou ouve a notícia no rádio de que sua mãe está sofrendo e quer que a filha volte para casa. Mas a filha está tão envergonhada que não acha certo voltar para casa depois do que fez. Por que ela dá mais um golpe doloroso no coração da mãe ao recusar-se a voltar para casa, se a mãe deseja que ela volte?

Por que você daria mais um golpe doloroso no coração de Deus? É claro que você não merece voltar. E, sim, parece insignificante e pequeno, e é humilhante. Mas você vai acrescentar mais um pecado à sua conta, recusando-se a acreditar que Deus o ama?

Deus não tirou a candeia da janela quando você foi embora; ela continua lá. Todas as noites, ele acrescenta óleo nela, apara seu pavio e diz: "Talvez ela volte para casa esta noite! Talvez ele volte para casa esta noite!". Foi dito a respeito do filho pródigo: "A seguir, levantou-se e foi para seu pai" (Lucas 15.20). Você vai levantar-se e voltar para casa, seja qual for a necessidade?

Esta obra foi composta em *Adobe Caslon Pro*
e impressa por Gráfica Expressão e Arte sobre papel
Pólen Bold 70g/m² para Editora Vida.